CAE LA NOCHE TROPICAL

MANUEL PUIG

CAE LA NOCHE TROPICAL

Seix Barral ᛤ Biblioteca Breve

Cubierta: Miguel Parreño y Pedro Romero

Primera edición: octubre 1988
Segunda edición: noviembre 1988
Tercera edición: diciembre 1988
Cuarta edición: enero 1990

© Manuel Puig, 1988

Derechos exclusivos de edición en castellano
reservados para todo el mundo:
© 1988 y 1990: Editorial Seix Barral, S. A.
Córcega, 270 - 08008 Barcelona

ISBN: 84-322-0591-5

Depósito legal: B. 425 - 1990

Impreso en España

Ninguna parte de esta publicación, incluido el diseño de la cubierta, puede ser reprodu-
cida, almacenada o transmitida en manera alguna ni por ningún medio, ya sea eléctrico,
químico, mecánico, óptico, de grabación o de fotocopia, sin permiso previo del editor.

Capítulo uno

—Qué tristeza da a esta hora, ¿por qué será?

—Es esa melancolía de la tarde que va oscureciendo, Nidia. Lo mejor es ponerse a hacer algo, y estar muy ocupada a esta hora. Ya después a la noche es otra cosa, se va esa sensación.

—Sobre todo si se puede dormir bien. Y así no se piensa en las cosas terribles que ocurrieron.

—Vos tenés esa suerte, no sabés lo que ayuda. Al no poder agarrar el sueño es cuando se me empieza a pasar todo lo más espantoso por la cabeza. Si no fuera por las dichosas pastillas yo no podría haber aguantado todo este tiempo.

—No te quejes, Luci, que vos no tuviste una desgracia como la mía.

—Ya sé. Pero no me la he llevado de arriba tampoco, Nidia.

—Cuando murió mamá pasaba lo mismo, ¿te acordás?, a esta hora volvía el recuerdo más fuerte que nunca.

—Acordarnos de ella nos acordábamos siempre, lo primero que yo pensaba cuando me despertaba era que mamá no estaba más. Lo que se sentía a esta hora, más que nunca, era la falta de ella. Pero en ese entonces con tanto que hacer no se pensaba como ahora, nada más que en cosas tristes. Con tantas obligaciones que teníamos, era eso.

—Preparar algo de comer.

—Y esa gran responsabilidad de los chicos. De sacarlos a flote, Nidia.

—Y que después pueda pasar algo así, que te arranquen lo que más querés.

—Los que son creyentes tienen ese consuelo. Pero una no se puede engañar, no hay manera. Es una gran cosa, esa fe. Realmente yo se la envidio al que la tiene.

—Sí, Luci. Yo también se la envidio.

—Esa gente ignorante tiene muchas ventajas, que puedan consolarse así. Una no puede engañarse, ve la vida como es.

—Cuando murió Pepe fue distinto, yo quedé como atontada. Y lloraba y lloraba, todo el día. Pero esta vez fue tan distinto.

—El marido es una cosa, una hija otra, Nidia. Tu hija. Qué cosas que pasan, tan terribles.

—Luci, no quiero estar adentro, salgamos a dar una vuelta.

—Imposible, se está por largar a llover.

—Luci, no me contaste de la de al lado, ¿por qué no habrá venido más?

—Será porque llegaste vos. Ella venía sobre todo para desahogarse, pero delante tuyo no se animará.

—Y es una persona joven, buscará más la compañía de su edad.

—¿Por qué decís eso? ¡No!, ella venía muy seguido, una se da cuenta cuando alguien viene con ganas o no. A mí al principio no me caía bien, después me fui acostumbrando. Porque es agradable, dentro de su modalidad, ¿a vos qué te pareció?

—Mirá, Luci, a mí me pareció rara, pero no mala. Aunque ella pone una distancia, ¿con vos es así también? A lo mejor es conmigo sola.

—Yo creo que con vos hubo choque porque no

sabía que estabas, y venía a contarme sus cosas y cuando te vio no pudo.

—Y por eso no vino más, Luci. Con la que quiere hablar es con vos, para desahogarse un poco.

—Mirá, Nidia, lo que se había ilusionado esta mujer fue algo increíble, estaba convencida de que él también la quería.

—Pero no es una chica, ya debe saber lo que son esas cosas, ¿te confesó alguna vez la edad?

—No, pero por la edad del hijo y si ella estudió antes de casarse, y se recibió de lo que se recibió, no puede tener menos de unos cuarenta y cinco.

—Casi la edad de Emilsen.

—¿Cuántos hubiese cumplido en agosto?

—Cuarenta y ocho años, Luci.

—Qué infamia.

—Así es...

—Pero te queda tu hijo que te adora.

—Pobre Nene. Él es un pan de Dios, pero una hija es otra cosa, Luci. Vos no lo podés saber.

—Sos loca decirle Nene todavía, un hombre de cincuenta años.

—Me sale así. Siempre le dijimos Nene.

—Ya hay que prender la luz. Me dan tristeza las casas con luz mortecina, no sé si notaste que las casas de viejos solos tienen siempre poca luz. Por eso a mí me gusta tener todo bien iluminado. ¿Nunca te fijaste en eso?

—¿Enciendo ésta también?

—Sí, que no parezca casa de viejos.

—¿Y cómo fue que lo conoció al tipo?

—Ya te conté que ella había estado bastante enferma, ¿verdad?

—Sí, Luci, pero no me dijiste de qué, ¿fue de lo mismo que Emilsen?

—No...

—Creí que sí, no sé por qué me habré hecho de esa idea.

—No... Era otra cosa, Nidia.

—Pero me dijiste que se había llevado un susto muy grande.

—Sí, pero fue tomado a tiempo.

—Entonces era eso, un tumor.

—No..., ¿cómo es que le dicen?, era una especie de virus. Eso ella me lo explicó todo en portugués, repitiendo los términos de los médicos de acá.

—Ella mezcla mucho el portugués con el argentino, el castellano quiero decir. Yo mucho no le entendí.

—Es que lleva años en Río. Yo también cuando hablo con alguien que tiene tiempo acá voy mezclando muchas palabras de portugués, sin querer.

—¿Cuál era le enfermedad, entonces?

—Era... un virus. Y no podían dar en la tecla, los médicos, y por fin pudieron acertar y salió del paso en seguida. Y ahí en el sanatorio lo conoció a él.

—¿Él qué tenía?

—Era la mujer la que estaba internada. Ella falleció, pobrecita.

—¿De qué, Luci, de lo mismo que Emilsen?

—No, creo que tuvo un derrame, y duró mucho tiempo enferma, pero sabían que se iba a morir.

—Qué raro un derrame, en una persona joven.

—De eso ella no me quiso hablar mucho. Ella de lo que quiere hablar siempre es de él.

—¿Y él ya estaba mirando a otras mujeres, en semejantes momentos?

—No, parece que él es una persona buenísima, que no piensa más que en su hogar. Y se desvivió atendiendo a la mujer, todo ese tiempo que estuvo enferma.

—¿Y cómo fue entonces?

—Ella lo vio de pasada ahí en el sanatorio, pero

siempre muy así de pasada, por los corredores, cuando la llevaban a hacer alguna cura fuera de la pieza.

—¿Y tuvo ganas de fijarse en un hombre en esos momentos?

—Pero te estás anticipando, porque esta muchacha no es de fijarse mucho. Lo que le pasó es muy raro, Nidia.

—¿Por qué?

—Cuando lo vio a este hombre le pareció que estaba viendo a otro, no, quiero decir que se parecía muchísimo a otro que ella quiso mucho en su vida, muchos años atrás, y que no volvió a ver nunca más, y eso la impresionó muchísimo. Pero se creyó que tampoco nunca más lo iba a ver, a este del sanatorio.

—El del sanatorio no se parecía al ex marido de ella, por lo que me decís.

—No.

—Es de programas entonces, Luci.

—No, a mí me parece que no. Trabaja muchas horas, y estudia mucho. No está todo el tiempo pensando en correrle detrás a alguno, Nidia. No, eso no. Si fuera así no se lo hubiese tomado tan a la tremenda, a éste que se le cruzó en el camino.

—Bueno, yo te decía porque ya son tres, el ex marido, este que conoció en el sanatorio, y el otro al que se parecía tanto.

—Por lo que me dejó entrever, desde que se divorció tuvo ese gran entusiasmo por el tipo de México y ahora por el de acá, nada más.

—Claro, como son un argentino, un mexicano y un brasileño parecen más.

—Sí, el marido era argentino, ¿ya te lo había dicho?

—¿Era? ¿Por qué, ya no vive?

—Sí, vive.

—Sabés, Luci, no me puedo acostumbrar a decir

que Emilsen era esto o aquello. Que no esté más.

—Pero está presente en tu recuerdo, y en el de todos los que la quisieron.

—A mí no me arreglás con eso. Claro que en mi recuerdo va a estar siempre presente, ¿pero qué gano con eso? Lo que quiero es hablar con ella, comentarle alguna cosa, ¡pero no puedo! La extraño, y no está presente nada.

—Nidia, no puede ser de otro modo, tiene que doler, ¿cómo no va a doler que te falte una hija?, y tan compañera tuya siempre.

—Yo querría irme acostumbrando a la idea, de que no va a estar más. Y hacerle caso a la recomendación que me hizo, porque ella desde que cayó enferma, cuando tenía una recaída y me veía preocupada me miraba fijo en los ojos y me decía... «Vos cuidate.»

—Yo el recuerdo que tengo de ella es de todavía sana. Con esta distancia de Río a Buenos Aires hubo tantas cosas que no pude vivir de cerca.

—Mejor que no la hayas visto enferma, aunque ella nunca se quejaba. Pero estaba tan desmejorada.

—Qué chica, qué entereza.

—Luci, yo te mentiría si te dijese que alguna vez me dejó entrever que ella sabía lo que le estaba pasando. Nunca una queja delante mío, nada.

—Ella lo que quería era que cuidases tu salud.

—Yo no quería venir ahora a Río, no me daban las fuerzas, pero me acordé de lo que me decía ella, que me cuidara, y por eso vine.

—Mirá, Nidia, esto te tiene que hacer bien. La playa, el fresco a la noche para dormir bien, la otra vez que viniste te bajó la presión y esta vez te va a pasar lo mismo, vas a ver.

—Pero la otra vez tenía setenta y ocho años, ahora tengo ochenta y dos.

—Ay, por favor no pronuncies esos números, que me parece un chiste.

—De chiste no tiene nada...

—Nidia, vamos a hacer una dieta más firme y la presión te va a bajar. Si perdés un poco de peso vas a estar mejor.

—No amases más, yo no me le resisto a esos tallarines amasados.

—A la de al lado le gustaron tanto, aunque ella es de familia española, cocinan más con arroz.

—¿Ella por qué se vino a Río?

—Se fue de la Argentina en la época de Isabelita y la Triple A, que vino esa campaña de que todos los psicoanalistas eran de izquierda. Aunque ella no es psicoanalista, el título es de psicóloga.

—Esa cosa nunca la entendí, esos diplomas antes no había.

—Cuando yo estudié no existía esa carrera, si no yo la hubiese seguido. Había que hacer toda Medicina, y después la especialidad en Psiquiatría.

—Sí, eso me acuerdo, Luci.

—Bueno, y después crearon la carrera de Psicología, que no te obliga a estudiar Medicina, y de ahí salen todas estas charlatanas, que me perdone pobre Silvia, conmigo no ha tenido más que amabilidades.

—Y a las psicoanalistas te las dejaste en el tintero.

—Mirá, el título es de psicóloga, claro que como psiquiatra sonaba un poco antiguo, los que sí siguieron Medicina empezaron a hacerse decir psicoanalistas, según esta Silvia misma. Algo así.

—A ver si entendí. Los psiquiatras son los que estudiaron Medicina primero, y los psicólogos no estudiaron nada. Y los psicoanalistas son los que por hache o por be quieren ponerse ese nombre.

—Más o menos.

—¿Viste que algo entiendo? Aunque no lo explicás

nada bien... Lo que sí me empieza a fallar es la memoria, pero si algo me lo explican todavía lo entiendo.

—Es que tenés tan buen oído. Yo si hablan más de dos o tres juntos ya no entiendo.

—Hacés mal en enojarte con tu hijo, cuando te corrige por eso, Luci.

—¿Por qué?

—Cuando contestás al tuntún, sin estar segura si escuchaste bien o no, un poco a la buena de Dios, adivinando.

—Mirá, Nidia, cuando los hijos se vuelven padres me parece muy mal.

—Pobre chico, todavía que se preocupa en corregirte.

—Mirá, Nidia, yo no voy a estar midiéndome en lo que digo a uno o a otro, digo lo que me sale y basta.

—Bueno, no te enojes, contame de la de al lado, ¿por qué se fue de la Argentina?

—Ya te dije, por amenazas de las tres A, ¿te acordás?, la Triple A.

—Cómo no me voy a acordar...

—No, como decís que no tenés memoria. ¿Ves que a vos tampoco te gusta que te anden corrigiendo? Bueno, ella se fue porque la llamaron una noche diciéndole que tenía veinticuatro horas para salir del país, si no la mataban.

—Emilsen tenía una amiga que se tuvo que ir. Pero ésa era profesora de la Facultad.

—Media Argentina se tuvo que ir. Bueno, ella dejó al hijo con el ex marido, que ya estaban separados, y cuando se terminó el año escolar lo mandó a buscar. Y se quedó con ella en México, el chico. Al chico le gustó mucho México, y siempre le ha dicho que quiere vivir allá.

—Yo nunca fui. Íbamos a ir con la pobre Blanquita, pero la vida no le dio tiempo, pobre alma de Dios.

—Nidia, ¿viste que una no habla más que de muertos? Qué tristeza es esta edad.

—No te quejes, Luci, por favor, no te quejes.

—Tenés razón. Bueno, allá fue que conoció a ese hombre del que se enamoró tanto, y después se tuvo que venir para acá, porque la altura de México le hacía mal. Y hace unos cuantos años que está acá.

—¿Y el tipo que la quería tanto no se vino con ella? ¿Por qué?

—No, era ella la que lo quería tanto, parece que él al principio la quiso, pero después no.

—Por eso le empezó a hacer mal la altura. No necesito ser psicóloga para darme cuenta. Yo cuando veía que Emilsen mejoraba, me mejoraba yo de la presión, es la tristeza la que trae todos los males. Pero seguí, que quiero saber.

—Bueno, ella hace pocos meses conoció a este otro hombre en esa clínica, y la impresionó porque se parecía al de México. Pero nunca pensó que lo volvería a ver, a este de acá. Hasta que un día ella va al consulado argentino a renovar unos papeles y lo ve. Y ella lo saludó en castellano y él se rió, porque no es argentino. Te explico, lo que pasa es que en esa clínica antes había un médico profesor argentino muy famoso y fue llevando mucha clientela de nosotros para allá. De la colonia argentina. Pero era un hombre de mucha edad, y como te podrás imaginar, ya se murió. La cuestión es que ahí en el consulado ella lo vio a éste, y le preguntó cómo estaba la mujer, en castellano, pensando que era argentino. Porque nunca habían hablado antes. Y también la esposa había resultado brasileña.

—¿Y él qué hacía en el consulado?

—Un trámite para un cliente. Puro destino. Según ella este hombre es muy buen mozo, para el gusto de ella. A mí me mostró la foto y no me gustó nada, muy pelado y bastante gordo. Ella dice que para ella siempre fue su tipo de hombre, un aspecto así, de hombre de su casa, no muy acicalado, y que a ella dice que no le importa nada que tenga un poco de barriga.

—¿Y en qué se parecía al otro?

—No te me adelantes. Eso a ella le costó mucho darse cuenta. Tardó un buen tiempo.

—¿Pero en qué se parecía?

—En la mirada. La misma mirada. Unos ojos negros un poco de chico, un poco huidizos, que no miraban mucho de frente.

—Ésa es mirada de persona que no dice la verdad.

—No, no. Ella dice que era mirada de persona que necesita un amparo, como de un chico que perdió la madre. Y yo se lo dije: solamente los chicos, sobre todo los varones, tienen esa cosa en los ojos, cuando chicos, hasta los doce o trece años, después la pierden, y es entonces que ya no vienen más esas ganas de abrazarlos fuerte, de estrujarlos casi, de tan tiernitos que son, o que eran.

—Las nenas son distintas, tenés razón. O no sé si será que Emilsen siempre pareció una persona mayor. Lo único que no quería, lo que a mí más rabia me daba, es que no aguantase sentada quieta en el cine. Le venían ganas de ir al baño, cualquier cosa con tal de no dejarme ver la película. Pero eso era lo único. Nunca dio trabajo en nada.

—Y en cambio mis hijos que eran una peste se quedaban quietos en el cine.

—Seguí. Según ella ahí le preguntó cómo estaba la esposa.

—Sí, Nidia. Él le dijo que ya había muerto, y empezaron a hablar de la enfermedad, y de las otras personas que estaban internadas, porque ella también había estado unas dos semanas, y antes había estado otro tiempo más, había estado entrando y saliendo, y conocía los casos del piso entero, porque esa clínica antes había sido una casa de familia de tres pisos, nada más. Y él le empezó a contar, y se quedaron hablando. Dice que él no la miraba mucho en los ojos, miraba mucho para los lados, y ella empezó a hacer lo mismo, porque eso la ponía nerviosa. Y le hacía acordar del otro, aunque todavía no se había dado cuenta de eso, seguía como una tonta preguntándose por qué siempre, desde el principio, ese hombre le había llamado la atención. Ella en el sanatorio había pensado muchas veces que ese hombre del pasillo tenía algo raro, algo que le gustaba, pero no llegaba a darse cuenta. Y ahí en el consulado él miraba a la gente que iba y venía con esos papeles, en vez de mirarla a ella, mientras conversaban, y ella dejó de mirarlo a su vez, mientras conversaban, y ahí fue que sintió la mirada de él. Él se estaba animando a dejarle la vista encima, ahora que ella le hablaba mirando para otro lado. Ella empezó a sentir la mirada de él, que le recorría a ella la cara, el pelo, la boca, las manos, el escote. Y cuando ella se decidió a mirarlo de nuevo en los ojos él de nuevo empezó a mirar para otro lado. Y ahí ella aprovechó para observarle detalles, y vio que tenía la camisa puesta sin planchar. No de esas camisas que se lavan y se cuelgan y quedan casi perfectas, no, de esas que hay que planchar, y no estaba planchada. Y dice que ahí de golpe no se aguantó y se le soltaron las palabras solas de la boca a ella, le dijo que fueran a tomar un café abajo, en ese edificio nuevo del consulado, tan deslumbrante. Porque ella es una mujer muy medida, según ella, que lo malo de ella es justamente eso, ser demasiado medida.

—Es eso lo que no me gusta de ella, ahora me doy

cuenta. Cada cosa la mastica mucho, dice las palabras justas y nada más.

—Sí, de espontánea no tiene nada. Yo se lo dije a mi hijo, y él me dice que la mujer argentina de ahora es así, más seca. Y que es porque las madres eran demasiado dicharacheras, y poco sinceras, que se hacían las simpáticas con todo el mundo.

—Que éramos falsas, querés decir.

—No falsas, pero un poco simpáticas profesionales, dice el Ñato. Y ésta es de la nueva ola.

—No, nueva ola se dice de las más chicas. Ésta es grande.

—Quiero decir de la nueva modalidad. Pero el tipo ese día la sacudió, algo le comunicó que ella empezó a decir cosas antes de pensarlas, como eso de ir a tomar algo. Y él le contestó que tenía poco dinero encima, y ella le dijo que lo invitaba, a tomar un refresco cualquiera, porque el café a ella la pone nerviosa, café toma nomás cuando tiene un paciente detrás del otro y se le cierran los ojos de sueño. Bueno, el tipo aceptó.

—Luci, vos sos caída de la pichonera, me parece.

—¿Por qué? ¿Te parece que ella no dice la verdad?

—A mí me parece. Es una mujer de hacerse programas. Lo que pasa es que no te quiere contar más que este asunto, pero debe tener uno así a cada rato.

—¿Por qué sos tan mal pensada?

—Tengo el convencimiento de que es así.

—No, Nidia, ella es muy franca en esas cosas. Siempre me está diciendo que el defecto de ella es ser muy anticuada, que no puede tener nada con un hombre si no está verdaderamente entusiasmada.

—Seguí.

—Pero si no vas a creer lo que cuenta, ¿para qué querés saber más?

—¿Y ya está curada del todo?

—Ella dice que sí.

—Tiene buena cara, por lo menos eso debe ser cierto.

—Según ella estaba segura de que no se salvaba, se había sentido tan mal que estaba segura de que no había cura. Por eso cuando el médico le dio de alta le vino como una locura, una euforia, unas ganas de vivir como nunca había sentido antes. Y fue ahí que de vuelta en su departamento se puso a pensar en aquel hombre del sanatorio, y en por qué la había impresionado tanto. Dice que en esos momentos ella lo único que pedía era ser una gran dibujante y poder hacer un croquis de memoria de él, para estudiarlo y poderse dar cuenta de por qué la había impresionado tanto.

—Decime cómo era la foto.

—No es un galán de cine. Es pelado, muy robusto, hombros muy anchos. Un poco gordo, o creo que no, gordo fofo no, muy robusto sí. Un poco de barriga. Pero por lo que ella me había contado yo me había hecho otra idea. Me lo había imaginado más alto, robusto sí pero nada gordo. Según ella todo está en la mirada y en la voz.

—Luci, tenías razón, ya está empezando a llover.

—La mirada de persona muy sensible, que se impresiona fácilmente por las cosas, o que se lo puede impresionar, sí, ésa es la palabra, o hasta herir. Y la voz, porque según ella es muy grave, y con una linda sonoridad, como cuando se habla en una iglesia. Y eso no es todo, porque allá en el fondo se le nota como un temblor.

—Entonces en el sanatorio ella ya había hablado con él. Estando enferma no perdía las mañas.

—No. Ahí está la cuestión que ella siempre repite. A ella le gustó así de lejos, por alguna razón especial, porque no es un hombre que nadie se dé vuelta a mirar dos veces. Y ya fuera del sanatorio se quedó pensando en él, pero como en una cosa perdida para siempre. Pero te estoy explicando mal. En lo que se quedó pensando fue en por qué ese tipo le había gustado y no podía dejar de acordarse de él. Todavía no se había dado cuenta de que se parecía al otro. Pero al reencontrarlo por casualidad en el consulado ahí sí, empezó a vislumbrar algo. Era como si le hubiesen dado un lápiz y ella lo estuviese dibujando, al otro, al de México, que quiso tanto, dibujándolo como lo haría el dibujante más ducho, y le iba saliendo igual, con esa mirada exacta de criatura tierna, pero sin los defectos de aquel del pasado, que era un rubiecito y flacucho cualquiera. Éste no, era alguien que no se iba a tumbar muy fácil, por más que soplase el peor viento, el viento de las desgracias, y la tristeza.

Capítulo dos

—Era ella, ¿verdad?

—Sí, te manda saludos. Preguntó cómo estabas.

—Si supiera cómo la critico... Pobre, una habla por hablar.

—Nunca dejó pasar tanto tiempo sin telefonear. Creo que quería pasar a contarme algo, o a contarme de nuevo todo lo mismo. Porque no tiene noticias de él.

—Seguramente llamó para ver si estabas sola, si yo había salido.

—Es posible. Se ve que está muy obsesionada con este asunto.

—Pero Luci, ¿no es la hora en que recibe a los pacientes?

—Sí, pero una la llamó que no podía venir. Y tenía cuarenta y cinco minutos libres, pero optó por tirarse un poco en la cama. Ves, desde esta ventana se ve la ventana de ella. Vení, es aquella allá arriba en el tercer piso, la ventana del dormitorio. La del consultorio da al otro lado. Yo sé siempre cuando tiene la persiana baja, si el domingo levanta la persiana temprano o si se queda durmiendo hasta las doce. Ahora está siempre la persiana levantada desde temprano, no puede dormir y retozar hasta tarde, cuando no trabaja. Por los nervios.

—Pero de salud se sigue sintiendo bien, ¿o te dijo algo?

—No, de salud está bien. Es la cabeza lo que le está trabajando de más. Yo creo que ella es una buena persona, por eso tantos pacientes la buscan, porque sabe ayudar a la gente, se interesa de veras. Y a ese hombre ella pensó que lo podía ayudar. Todo fue por aquel momento tan especial que vivió ahí abajo en el bar nuevo del consulado. Acá en Río no se estila mucho el bar para sentarse, es todo más bien el trago de paso, parado en el mostrador, por eso es que en ese bar nuevo ahí abajo en el edificio tan suntuoso no hay casi nunca nadie. Un lindo silencio, una brisa fresca, nadie yendo y viniendo como en el infierno del consulado. Y él no podía mirar para otro lado, ni ella tampoco, porque estaban sentados en una linda mesita.

—¿Es al aire libre o adentro, como una confitería de Buenos Aires?

—En Buenos Aires también hay confiterías con mesas en las veredas. Eso yo extraño de allá, que a cada paso haya un bar para sentarse.

—Luci, menos mal que le reconocés algo a Buenos Aires. Según vos no existe otra cosa que Río de Janeiro en el mundo.

—Nidia, no seas exagerada. Es que Buenos Aires me trae malos recuerdos, nada más. Pensá que allá tenía mi regia casa, y la perdí. A vos eso no te tocó, perder la casa y hasta el último centavo.

—Mucha gente perdió todo, en estos años.

—Pero los extranjeros cuando van a Buenos Aires salen de allá encantados. Les gusta sobre todo eso, la cantidad de confiterías para sentarse. Y podés estar horas con un pocillo de café y ningún mozo te viene a presionar que le dejes la mesa libre o que pidas algo más. Es la costumbre, de allá nada más, de pasarse horas sentado conversando.

—Te acordás en Italia lo que costaba sentarse en un café, era un lujo.

—Esa costumbre de nosotros la heredamos de España. Ellos se pasan la vida conversando, yo no me explico cómo ese país progresó tanto, si lo único que hacen es charlar.

—Un día llevame a una confitería, no conozco ninguna en Río.

—Yo te llevo, pero no es lo mismo. Son más para tomar cerveza, y por eso es toda juventud, o si no hombres solos. Pero señoras no van, y es un bochinche loco. Río no es para gente mayor, ya viste que en la playa somos nosotras las únicas.

—¿Y dónde se meten los viejos?

—Qué sé yo... Están encerrados en la casa, Nidia. Se deben creer que yo soy una loca, en la calle todo el día.

—Ojalá estuvieses en la calle todo el día, Luci, así me llevarías un poco a tomar aire a mí. Me viene más la pena, acá adentro. Me parece.

—Nidia, con tiempo bueno no hay mañana que no te lleve a la playa, pero salir dos veces en el día a mí me cansa. Vos sos incansable.

—Yo le vi mala cara a esa muchacha, al principio no. Pero esta mañana en la vereda no me gustó. Ojalá que no le vuelva.

—Yo creo que es porque no está durmiendo bien. El error fue haberse ilusionado tanto.

—¿Pero por qué esa ilusión tan grande? ¿Él qué fue que le prometió?

—Nidia, fue que se empezaron a llevar tan bien, que parecía todo ir viento en popa. Ahí en el bar él le contó del trabajo, de los hijos.

—Luci, ¿a vos te parece que mi yerno se va a casar pronto?

—Mirá, Nidia, cuanto más se ha querido a una

persona más se sufre y más se necesita sustituirla. Él la adoraba a Emilsen, y yo francamente le deseo que pronto encuentre a una mujer buena que lo ayude. No tiene cincuenta años todavía. Acordate a esa edad cómo se sentía la soledad.

—A esa edad yo ya me había acostumbrado a estar viuda.

—Pero el hombre es diferente, no puede estar sin una mujer.

—Luci, ¿el hombre ése había sido feliz con su mujer? ¿Qué le contó a esta otra?

—Que estaba desesperado. Que los primeros días había sentido un gran alivio, porque la pobrecita mujer ya no sufría más, pero que ahora se estaba volviendo loco.

—¿Y quién le cuida los chicos?

—Ya ella había estado enferma tanto tiempo que la parte de los chicos él la tenía solucionada. Había encontrado una señora grande que le hacía todo. Además los chicos ya están creciditos, diecisiete años, o algo así, la nena, que es la más chica. Además viven con la madre de él. Pero la de al lado se dio cuenta en seguida que era un hombre muy bueno porque en el sanatorio lo había visto que se traía el trabajo para adelantar ahí, mientras le hacía compañía a la esposa. Claro que se había quedado con la intriga, ¿papeles de qué? Y en el bar él le contó que era tenedor de libros, o contador, ella me lo dijo en portugués, especializado en impuestos. Y él se llevaba al sanatorio toda esa papelada, con todo el cansancio del día entero trajinando por ahí.

—¿Vos qué sabés?

—Esta de acá, esta pobre Silvia, después fue enterándose de todo. Él no está bien de plata, y tiene que trabajar todo lo más que puede. Imaginate, con la madre y dos hijos estudiando. Pudo llevar a la mujer a esa clínica porque era socia la mujer de la Cruz do Socorro, que le correspondía por ser profesora del secundario. Bueno, entonces estaban en el bar y el hombre por ahí le dijo a la Silvia esta, si era por eso que ella quería hablar con él, si le quería encargar algún trabajo. Ella ahí se quedó como cortada, porque el tipo le salió con eso de buenas a primeras. Es que él pensó que ella desde los tiempos del sanatorio sabía que él era contador. Entonces recién ahí ella le preguntó qué trabajo hacía, y él le contó. Y ella le dijo que no, que solamente quería conversar con él, saber qué había sido de su vida. Ahí parece que él no pudo sostenerle la mirada, y miró para otro lado. Y empezó a decirle que la vida de él era lo más rutinario que había en el mundo, ¿qué podría contarle a ella para no aburrirla? Y ahí ella quedó más cortada todavía y empezó a hablar de que estaba como empezando a vivir de nuevo, después de haber pensado que no se iba a curar nunca, y que había decidido ser más comunicativa que hasta entonces, y quería hablar con él, porque le parecía que él también podría tener necesidad de comunicar algo. Esas cosas que se dicen, que no son la verdad.

—¿Cuál era la verdad, Luci?

—Y, vos te acordarás, cuando una tiene esa gran juventud adentro, esa salud, dan ganas de acercarse a una persona que te gusta. Eso es todo, el tipo le gustó y basta, las razones andá a saber, pero ella sintió esas ganas de saber de él, quién era, qué cosas le gustaban. Ella le dijo nada más que eso, que al saber que no se iba a morir había hecho la promesa de ser más abierta, no cerrarse tontamente, de vivir de otra manera. Pero claro, lo que no dijo es que en vez de sacarle conversación a cualquiera, a la flaca esa antipática que atiende en el consulado, lo abordó a él. Porque él tenía algo que a ella la atrajo. De todos los miles de hombres que le pasaron por al lado desde que se curó lo eligió a él. Dice ella que él contestaba a todo, era atento, pero todo un poco así frenado. Frenado como cuando alguien no se terminó bien de despertar, medio dormido todavía, a la mañana temprano. Él hablaba, pero algo en el fondo de él seguía durmiendo, ella sintió. Entonces le volvió a preguntar qué vida estaba haciendo. Y era una vida muy triste, porque parece ser que el seguro social de la esposa no le cubrió todos los gastos de la enfermedad. Él le hizo creer a la mujer que el seguro pagaba esa clínica, con pieza sola para ella, muy bien atendida, pero no era cierto. Él contrajo una deuda, y ahora la tiene que pagar. Entonces el día no le alcanza para todo lo que querría hacer, cuantos más clientes tome mejor, pero el día tiene un cierto número de horas, y nada más. Y ahí en el consulado él estaba haciendo no sé qué trámite, engorrosísimo, sobre acuerdos de impuestos entre los dos países, para algún cliente lleno de plata que no quiere pagar al fisco. La cuestión es que la vida de él es nada más que eso, trabajo de la mañana a la noche, y llegar a la casa y encontrar todo en orden gracias a Dios, porque la madre todavía tiene fuerzas para vigilar un poco las cosas.

—Pero tiene esa otra ayuda, la madre, ¿tiene alguien con cama o no?

—No, tiene esa señora mayor que le viene todos los días hasta la tarde, le deja la cena de los chicos lista. La madre lava los platos a la noche. Él se encuentra todo en orden. Esta Silvia se imaginó lo triste que estaría él al llegar, y le sacó ese tema. Y él soltó todo. La madre mira la televisión y a las diez de la noche ya se le cierran los ojos, de tanto ver televisión todo el día. Él le pide que se levante más tarde, así a la noche no tiene tanto sueño y pueden conversar un poco. Pero sabés a esta edad como no se puede dormir después de cierta hora, a la mañana. Y si la vieja toma café a la noche se desvela y no duerme más, no pega un ojo, ¿qué va a hacer la pobre?

—Todavía no es la suegra y esta de al lado ya habla mal de ella, ¿te estará contando la verdad? Yo no le creo mucho.

—¿Y qué ganaría con contarme mentiras? Él se da una ducha y se le va ese cansancio, sobre todo ese agobio en la cabeza, y ahí es que querría que la madre le conversase un poco de lo que pasó durante el día con los hijos. A la vieja no la sacan de su telenovela de las ocho y ni bien terminó esa porquería el hijo le pide que vea también el noticioso, así le cuenta a él las novedades. Y la vieja al noticioso ya lo escucha cansada, y no retiene nada, vieja reblandecida, ¡no hay que abandonarse así! Si una se abandona está perdida. Nidia, vos nunca dejes de leer el diario y escuchar el noticioso.

—Sí, es cierto, en la Argentina siempre lo veo por la tele, es la costumbre de cuando vivía Pepe, que escuchaba el noticioso por radio.

—El hombre se pone su piyama y en todo el día no ha tenido tiempo de acordarse de nada, corriendo por el centro de Río, de una oficina a otra, pero ahí al final del día no tiene con quien hablar. Lo principal para él es saber qué hicieron los chicos ese día, porque la mujer le daba todos los detalles. Y él se le puso serio un día a la vieja y le dijo que si no se gastaba la vista mirando la tele estaría más despierta cuando él llega, y que le iba a vender el televisor. Y la vieja se puso a llorar. Y él casi se murió ahí del arrepentimiento. Y se dio cuenta que la pobre madre estaba muy desgastada ya, y no resistía un reto, así que era él quien tenía que ser fuerte, y aguantarse.

Y mientras él come la vieja le cuenta algo, pero ya muerta de cansancio, y él ahí según esta Silvia...

—¿Por qué decís siempre esta Silvia?

—Porque está la otra, la de Copacabana, la periodista, que todavía no conocés y también es argentina. Y él ahí por suerte va sintiéndose muy cansado, antes de cenar no, pero al ocupar el estómago le cae todo el cansancio encima, y hay días que antes que la vieja ya se durmió él. Pero otros días no, sobre todo los sábados, que no se levanta tan temprano. Y si el sueño no lo vencía, los sábados cuando la mujer todavía no había caído enferma trataban de mirar alguna película por TV, aunque no aguantaban tantos anuncios, y durante los anuncios la mujer aprovechaba para comentarle cosas. Y ahora nada. Ellos discutían, porque la mujer sostenía que era mejor tener alguna luz prendida mientras se ve TV, que gasta menos la vista, según algún artículo que había leído por ahí. Y él no, prefería total oscuridad, como en el cine. Él le contó todo con lujo de detalles a esta Silvia, porque con la mujer se había llevado bien pero no eran felices del todo.

—¿Cuándo fue que la empezó a criticar a la esposa? ¿En el bar del consulado?

—No me hagas perder el hilo. Porque ahora él se puede dar el gusto de apagar todas las luces, pero cuando viene el anuncio ella antes estaba ahí, y con la luz prendida, porque era muy insistente en eso, y él siempre le había pedido que a la noche estuviese un poco mejor vestida cuando él venía, y cuando aparecía el anuncio y ella estaba toda zaparrastrosa él le decía que parecía una sirvienta, y ella tal vez lo hacía a propósito, porque entonces el día que sí se arreglaba un poco él ahí se daba cuenta y la miraba más, durante los anuncios, porque alguna vez le había comprado algún vestido un poco más caro, para un cumpleaños, y que ella lo reservaba para cuando quería impresionar. Pero el vestido que a él más le gustaba, como le quedaba a ella, era uno que él le encargó a un compañero que fue a Nueva York, pero para la madre, porque cumplía setenta años, y cuando llegó el vestido resultó chico, y lo heredó la mujer, claro. Y parece que era un vestido que la transformaba, le quedaba tan bien, floreado verde y blanco. Y ése ella se lo ponía poco.

—¿Y esta Silvia vio el vestido?

—No, jamás la llevó a la casa. Y dice que se va a cuidar muy bien de ponerse nunca algo verde y blanco, delante de él. Y en el revés del vestido decía con toda claridad «limpieza a seco nada más», y la esposa por ahorrar lo trató de lavar en casa, con el jabón más fino, pero lo arruinó. Él nunca se lo perdonó, cuando salía ese tema siempre peleaban, porque ella también le había arruinado un pantalón a él, por ahorrar tintorería, un pantalón italiano de hilo, que no era hilo, por eso pedían especial cuidado al limpiar, sería una mezcla de hilo con fibra sintética.

—Pero ahora ella no está más, ni de floreado verde y blanco ni de nada. Yo creo que si él le contó todo eso de la esposa es que no tenía interés en esta otra como mujer.

—A mí también me parece raro. Él me parece que necesitaba más una amistad, una confidente, que un amor. Pero eso no me animé a decírselo a ésta.

—Hiciste mal, mejor es que se desengañe de una vez.

—Nidia, no, vos tampoco te animarías a decírselo. Te daría lástima. Además cuando te va contando todo te parece que ella tiene razón, que él la quiere. Y te va dando todo lujo de detalles, hasta que te convence.

—¿Nunca la pescaste en alguna mentira? ¿No se contradice?

—No, me ha contado todo desde el principio hasta el final no sé cuántas veces. Es lo único que la alivia.

—Tendrá miedo de no volver a verlo nunca más.

—Y para él mejor tener la luz apagada, ahí en el living de la casa, ¿no te parece?, cuando vienen los anuncios de televisión, y no ver el asiento vacío, mejor ver los anuncios. Y él a esa hora está siempre recién bañado, con esos jabones tan perfumados de acá de Brasil. Y eso esta Silvia no me lo contó, y tampoco lo podía saber, pero me imagino que el piyama no estaba planchado, como la camisa aquel otro día, pero ahí en la oscuridad ese hombre solo, pelado, con un poco de barriga, pero todo perfumado del jabón, todavía tendría ilusión de algo en la vida, un sábado a la noche.

—Además de tener ese problema, esa especie de carga de electricidad en el cuerpo...

—... de hombre todavía joven, Nidia.

—¿Y los hijos no están?

—No están ni los días de semana, imagínate un sábado. Pero no le dan ningún trabajo. Parece que antes de caer enferma la mujer en la casa había mucho barullo porque la chica era muy vaga, de esas brasileñitas bravas, las chicas de ahora. El chico más tranquilo, más de deportes. Aunque él tiene la pena, el padre quiero decir, de no poderle comprar la tabla de surf que le prometió. ¿Y sabés una cosa? La de al lado ya estaba a punto de comprarle la tabla cuando el tipo desapareció. Yo los odio a los del surf. Además ellos viven lejos de la playa, no es como nosotras que estamos casi enfrente, ¿para qué quería la tabla ese chico?

—Yo los odio también, se te vienen encima como una exhalación. Son unos impertinentes. Yo estoy ahí adentro del agua, a poquitos metros de la orilla y ellos llegan y miran como diciendo que me haga a un lado, ¡yo ni alcanzo a divisarlos que ya los tengo encima!

—Pero por un lado descargan ahí mucha energía, a esos muchachones jóvenes es mejor que se les dé por ahí y no por las drogas. Bueno, la cuestión es que a los chicos él los ve poco.

—¿Y antes de la enfermedad de la mujer qué pasó? Empezaste a decir algo.

—Sí, había bastante barullo en la casa, la chica muy jovencita y ya haciendo vida de mujer, vos me entendés. Y el chico no muy estudioso, pero al caer enferma la madre se produjo una unión en la familia. Y eso siguió después de la muerte. Ya la abuela se acostumbró a que la nieta salga, y como no descuida los estudios ya todo está más tranquilo. Y parece que está de novia en serio con un muchacho compañero de estudios. La cuestión es que este hombre llega a la casa a la noche rendido de cansado. Y está la madre viendo algo por televisión, y ahí le recalienta lo que haya cocinado la fámula.

—¿Y esta Silvia le preguntó ella a él qué clase de vida hacía? ¿Cómo se animó? ¿O fue él que lo contó?

—¿Qué tenía de malo preguntarle?

—Una mujer no puede hacer esa pregunta. Además ella que es psicóloga. Porque a mí lo que más me preocupa de mi yerno es eso, y vos Luci sabés muy bien cómo es el hombre, y los problemas que tiene. No es como somos nosotras, un hombre, sobre todo a esa edad, todavía joven.

—Pero, Nidia, si una va a estar midiendo lo que dice, por ahí mejor quedarse muda.

—Mi miedo es que Ignacio se vuelva a casar con la primera que se le cruce, por esa necesidad que tiene el hombre, de una mujer. El hombre es así, Luci, es su naturaleza, y lo sé porque cuando yo caía

29

enferma alguna vez, Pepe tenía ese problema, que no se podía dormir, si pasaban unos cuantos días sin eso.

—Pero tu yerno la adoraba de veras a Emilsen, esa gran pena creo que debe matar todo, las ganas de salir, de divertirse, de todo.

—Vos estás equivocada, Luci. ¿No acabás de decir que este otro hombre no podía dormirse el sábado a la noche? En ellos parece que es como el hambre para nosotras. Y yo el mismo día que falleció la pobrecita Emilsen... yo estaba sin fuerzas casi para seguir en pie. Y ahí Ignacio insistió en que yo comiera algo, y te tengo que admitir que me hizo bien comer un poco. Yo tenía hambre, ese día, al salir del velatorio para buscar un poco más de abrigo en casa, que ahí en el lugar del velatorio no había casi calefacción, muy floja, esos ladrones de la funeraria. Y es así, para mí la vida se acabó cuando se me fue Emilsen, pero así y todo, cosa de no creer, me vino hambre, y frío. Y al abrigarme ya sentí otra fuerza para enfrentar las cosas. Porque con el estómago vacío, y medio desabrigada, me empezó a venir un desasosiego, y unas ganas de gritar y tirarme por la ventana, pero estaban pobrecitos los chicos de Emilsen, y no había que darles ese espectáculo, pero con aquel café con leche con pan y manteca, y aquel chalequito que compramos juntas en Roma, me sentí con otras fuerzas.

—Tenés razón, Nidia. Lo que esta Silvia habrá querido saber en el fondo era eso: cómo él había resuelto ese problema. Que no tiene nada que ver con el amor que le quede por la mujer. O sí. Mirá, a mí me parece una cosa. Si él quiso mucho a la mujer puede ocurrirle que se quede completamente paralizado, sin energía de nada que le sobre a la noche, cuando se va a dormir en su cama solo. Pero también le puede suceder que no la quiso tanto, y que entonces la pena se le va a pasar en seguida. Pero puede pasar otra cosa más, que la quiso tantísimo, y sin pensar más que en ella, que es tal la desesperación, que para no reventar de la pena tan grande, que la lleva adentro y es ya más grande que él, y no le cabe más adentro, bueno, ahí, puede hacer cualquier locura, que es tirarse de un décimo piso, o irse con la primera desvergonzada que se le cruza en el camino.

—Vos entonces pensás lo mismo que yo. Mi terror es Ignacio, que haga eso.

—Bueno. Ese primer día ellos hablaron mucho, de los hijos, todavía nada de la mujer, ni del vestido aquel, nada de eso. Y él por ahí la miró fijo y se le sonrió, y le dijo que él había sido muy diferente de joven. Que en otros tiempos él llevaba otra vida, y que le había tocado una época de Río muy distinta, de más abundancia. Y en ese entonces había sido medio vagoneta, y hasta un poco rebelde. Pero que ya era todo historia antigua, y le daba vergüenza no tener que contarle más que cosas de antes. Porque el presente de él era un... No me acuerdo la palabra que dijo Silvia.

—Sería un calvario, la palabra, como para mí.

—No, dijo otra..., ¡páramo! Aunque para mí, Nidia, cuando digo páramo me vienen a la mente las Brontë, para mí un páramo es un lugar muy gris, pero interesante, con un misterio, una niebla blanca, y de a ratos otra cosa más, ¿te acordás?, unas ráfagas de garúa con reflejos de sol que no se sabe cómo llegan hasta ahí. Y en el cielo muy bajas unas nubes terribles casi negras. ¿Te acordás de la excursión al museo de las Brontë? Él no debería haberle dicho páramo. Debió haber dicho un terreno baldío.

—No me acuerdo de ese museo, Luci. Lo que me parece que tengo más afectado es eso, la memoria. ¿Qué excursión fue?

—Dejame que te siga con esto otro, después te

cuento del paseo ese, a los páramos de «Cumbres borrascosas».

—Ah, sí, de «Cumbres borrascosas» me acuerdo, que se veía algo raro, lejos, a la salida del museo.

—¡Sí!, como un espejismo, donde empieza el páramo, allá perdida parece que hubiera una casa.

—Y no es cierto, no hay nada. Es esa tierra que no la quiere nadie.

—¿Viste como te acordás? Yo siempre repaso los prospectos de cada excursión, hay que ejercitar la memoria. Pero ella le dijo que sabía que a él le estaban pasando cosas por dentro, que no eran rutinarias. A ella lo que le interesaba era saber cómo él enfocaba el futuro, si podía todavía ilusionarse con algo.

—Ella lo dijo con vueltas y más vueltas, Luci, pero lo que quería saber era una cosa sola: si él tenía esa necesidad de animal, de descargarse con una mujer.

—Nidia, yo creo que no. Ésa es una parte de la realidad, no lo niego. Pero esta Silvia lo que quería saber era ante todo otra cosa, ¿él tenía alguna ilusión en la vida? Claro que con la esperanza escondida de que esa ilusión la pudiesen compartir. Y ahí ella se armó de coraje, o será porque tiene tanta práctica con los pacientes de ella, la cuestión es que se puso firme y le preguntó por qué miraba para otro lado, ¿cuál era la razón para avergonzarse? Y él le contestó que no creía que a ella le pudiese interesar lo que le pasaba a él, con esa vida tan chata que llevaba. Y que si ella estaba haciendo alguna investigación sobre casos como el de él, de hombre de cuarenta y pico, viudo y con hijos grandes, que le preguntara lo que quisiese. Pero como ya vos sabés ella no tenía la menor intención de investigar nada, como profesional. Y se lo aclaró bien. Y ahí por primera vez él pareció salir de ese letargo. ¿Cómo era posible que alguien se fijase en él?

—Perdoname que te interrumpa, ¿qué hicimos a la salida del museo de esas muchachas escritoras?

—Se llamaban Emily y Charlotte Brontë, ¿de eso no te acordás?

—No, pero acordate que para los nombres yo siempre fui negada. Vos te reías porque en vez de..., ¿cuál era aquella artista a la que le cambié el nombre y siempre te reías?

—Barbara Stanwyck, y vos le decías Barbara Stavisky. Por aquel famoso estafador que se llamó Stavisky.

—¡Qué memoria tenés para los nombres! No, eso no me importa olvidarme, de los nombres. Ahora me estoy olvidando también de cosas que pasaron. Y no me quiero olvidar de nada, de las cosas buenas, sobre todo. De los buenos momentos, desde que nació Emilsen hasta el día que sintió el primer síntoma. ¿Cómo fue, entramos o no en ese campo lleno de espinas, a la salida del museo?

—No, se veía el espejismo, pero era muy lejos para caminar adentro del páramo y llegar a eso que parecía una casa en ruinas. Yo creo que sí, que existe esa casa. A propósito dicen que es un espejismo, para que la gente no se meta y se pierda en ese páramo sin fin.

—A mí también me pareció que sí, que había algo. Pero si ésa es una tierra que no vale nada, que no se vende, donde no crece nada, ¿para qué alguien se va a hacer una casa allá entre las espinas, tan metido adentro del terreno malo? Para eso mejor hacerla al borde del terreno bueno.

—Dicen que Emily Brontë se quedaba horas y horas con la mirada perdida en ese páramo, pensando por qué un hombre se había hecho la casa tan lejos, entre tanta espina, y pensando cómo sería él. Y a ella le parecía que habría sido un hombre que había sufrido mucho, que de la gente no había recibido más que desengaños, y por eso se quería aislar. Y ella habría querido acercarse a él, pero para entonces de la casa no quedaban más que ruinas. Acercarse para ayudarlo.

—Y esta Silvia que quiso ayudar al tipo se hundió ella. Pero ella no lo quiso ayudar, Luci, le quería complicar la vida. Lo que quería era divertirse ella, y no le importó meterse en la vida de alguien que estaba con las heridas así abiertas, y tan difíciles de cicatrizar. Ella fue una atrevida y una irresponsable, que se aguante ahora si le salió mal la jugada.

Capítulo Tres

—Luci, tengo mal día.

—Es el tiempo. Si no lloviese podríamos salir un poco.

—¿Será difícil conseguir taxi?

—Sí, más difícil imposible. Y puede haber calles inundadas, sería una locura salir en un día como el de hoy.

—Es que encerrada me viene más el recuerdo.

—Haceme un mate, Nidia. Para vos ponele poco azúcar.

—Mejor lo tomo amargo del todo. Pero no me digas lo que siempre me decís, siempre decís lo mismo cuando sale ese tema.

—¿Qué es lo que te digo?

—Que para amarguras basta con la vida. Pero vos, Luci, tendrías que conformarte más.

—No puedo, Nidia.

—Tenés a tus dos hijos sanos. Uno viviendo a una cuadra de distancia, y el otro lejos, pero sabés que está sano.

—Tengo muchas ganas de verlo.

—¿No va a venir él, este verano?

—Está mal de plata, vos sabés cómo andan las cosas en la porquería de Argentina.

—Pobre Argentina. ¿Y vos, no te animás a ir?

—Pobre, él está trabajando todo el día, la mujer más que él todavía, ¿qué voy a hacer todo el día sola en esa casa?

—¿Siempre tienen todos esos gatos?

—Aunque ellos estuviesen más tiempo en la casa yo no podría poner el pie ahí, sabés el terror que le tengo a los gatos.

—¿Cuántos tienen?

—No sé, como diez. Están locos. Ni que lo hubiesen hecho a propósito para que yo no vaya.

—Él te extraña mucho; es un chico muy cariñoso. Yo cuando ando peor de ánimo lo llamo y charlo un rato por teléfono. Te extraña mucho, extraña la comida, los mimos.

—Tiene esa terrible artritis, apenas cuarenta años y ya esa artritis.

—¡Luci, por favor! Que Dios te va a castigar, aunque no exista. ¡Exagerás demasiado! Si Luisito trabaja todo el día y juega al tenis dos veces por semana no puede estar tan atacado. No seas así de exagerada, y siempre para lo malo.

—No llenes la pava, así nunca se va a calentar el agua.

—Tenés razón, lo hice distraída, pensando en otra cosa.

—¿En qué?

—En lo que te decía, que Dios te va a castigar.

—Dios castiga sin palo y sin rebenque, ¿te acordás de ese dicho?

—¿La vecina no llamó?

—No. Señal de que no tiene novedades. Creo que ahora le da vergüenza sacar el tema de él. La última vez me volvió a contar todo aquel fin de semana en que fueron tan felices.

—¿Con muchos detalles?

—Y bastante picantes, vos te vas a asustar.

—No. Que la gente haga lo que quiera, que viva su vida mientras pueda. Ahora yo le doy importancia a otras cosas, no como antes. La vida te enseña a

36

darle importancia a lo que verdaderamente la tiene.

—Ella me contó todo con lujo de detalles. Además yo conozco el lugar donde fueron.

—Pero a mí eso no me importa tanto. Lo que sí me tiene curiosa es saber bien en qué momento él aceptó la idea. De empezar a salir con alguien. Porque yo comprendo más que un hombre al atacarle esa fiebre vaya a una casa pública, y tenga que ver con una mujer a la que ni conoce ni va a volver a ver. Porque esa pobre diabla no va a ocupar el lugar de la esposa. Pero con esta Silvia no sé, no pudo haber pensado en ella como en una de casa pública, para un desahogo del cuerpo. ¿Cuándo se volvieron a ver, después de la confitería?

—Dice ella que al levantarse de aquella mesita del bar ya sabía que él le gustaba de veras.

—Luci, pero las mujeres de una casa pública no...

—¡Nidia! ¿Cuál casa pública? ¡No existen más! Están las mujeres sueltas por ahí, nada más. ¡Las calles de Río están llenas de ésas!

—¡No me grites así, que no soy sorda como vos! Lo que te quiero decir es que a una de la calle le tiene que pagar. A lo mejor prefirió a esta Silvia porque no le salía cara.

—No, cara en absoluto. Ella era la que lo invitaba, ya vas a ver.

—Pero antes de eso decime cuándo fue que él sacó el tema del vestido ese floreado. Porque fue ahí que empezó a criticar a la pobre señora que se acababa de morir.

—No, no lo dijo como crítica. Vos te estás adelantando, y así me vas a confundir. Yo te quiero contar como ella me lo contó, la Silvia esta, sin olvidarme de nada.

—Yo quiero saber una cosa y nada más: cuándo fue que él aflojó. Quiero decir cuándo fue que él se dijo, a él mismo, voy a llevarle el apunte a esta mujer que se me ha cruzado en el camino.

—Yo creo que él no se dio cuenta, cuando se quiso acordar ya estaba enredado. Ella me lo contó mil veces, cuando después vino la crisis, siempre tratando de analizar el porqué del alejamiento de él. Ese alejamiento tan raro que vino después. Así que vamos por partes. Todo empezó en el bar abajo del consulado. Al despedirse él se estaba poniendo raro, como muy impresionado, ya te dije.

—¿Qué querés decir con impresionado?

—Ella me lo explicó bien, pero en este momento no te lo sé decir, cuando la vea le voy a sacar el tema. No hay cosa que le guste más que hablar de eso. Y ahí ella tuvo una idea: se inauguraba una exposición de pintura en el centro unos pocos días después, al principio de la semana que seguía, y daban un cocktail al que estaba invitado. Como él trabajaba siempre en el centro a ella se le ocurrió que a las siete de la tarde él iba a estar por ahí cerca y podían ir juntos. Estaban en un jueves o viernes, y el cocktail era para el lunes o martes. Él dijo que sí, que tenía ganas de ir, así podían seguir conversando.

—Y él no le tenía que pagar una copa, porque era gratis.

—Quedaron en que él la llamaba para confirmar, ese mismo lunes siguiente a la mañana, o martes. Pero según él era casi seguro que sí iba a poder. Y ahí se despidierom con un buen apretón de manos, y una sonrisa de él muy amplia, de labios así muy desplegados, que le hizo pensar a ella que él sí estaba contento. Contento de veras, de haberla reencontrado.

—¿Él solo se sonrió, ella no?

—No sé, conociéndola como yo la conozco, creo que no. Ella estaría muy concentrada en todos los datos que le iba dando, del lugar de la exposición, y la hora, para convencerlo de que iba a ser ahí a la vuelta de la esquina nomás, para él, cerca, fácil de llegar, cerquita, a la vuelta de esas oficinas terribles del centro donde él iba para llevar la contabilidad.

—Ella se sonríe poco. Es seria, de expresión.

—Y seria de fondo también. Parece que volviendo del consulado sin darse cuenta empezó a caminar, y caminar, en vez de tomar taxi. Porque iba liviana, le parecía tener alas, que el viento la llevaba y no había más que desplegarlas bien, a las alas, para planear entre las nubes, con viento a favor. Aunque lo del viento a favor me trae un mal recuerdo.

—¿Cuál?

—No, después te cuento. Dejame seguir con esto. Ella no podía entender por qué se sentía tan bien, llena de ilusión por la vida. ¿Cuál era el poder de ese hombre? ¿Por qué le había hecho ese efecto tan fuerte? Él no había dicho nada especialmente fino, o inteligente, nada, pero le había producido una gana bárbara de volver a verlo. ¿Por qué?

—Pero ahí ya se había dado cuenta de que éste se parecía al otro.

—No del todo, esperá. Y esa misma noche..., ¡golpe de teatro! Son las diez o más y suena el teléfono de ella, atiende, ¡y era él! Con la excusa de no estar seguro de haber anotado bien el número. Y hablaron como dos horas. No se podían despegar. Desde la casa de él, la madre ya se había ido a dormir. Y le contó ahí todo lo del vestido floreado, todo lo que ya te dije. Pero seguía él sin seguridad de poder ir a la cita. Iba a llamarla tal y tal día, a tal y tal hora.

—Él estuvo muy mal, en darle esa confianza.

—Ese fin de semana ella lo pasó muy bien, cambió de lugar unos muebles, y otras cosas que hacía tiempo que quería hacer pero nunca encontraba el momento, o las fuerzas. Como tirar unas macetas de plantas ya viejas, medio marchitas. Acá en el trópico hay un tipo de planta, como el helecho serrano, que por ahí se te pone feo, pero no se termina de secar, se pone feo y basta, y te da lástima tirar la planta porque no está muerta del todo, pero está fea y te deprime, hasta que un día te da el ataque y la tirás, ¡qué alivio! Por unas monedas te comprás una nueva y parece que entró de nuevo la juventud a la casa.

—Tenés que tirar una que hay en la ventana, está así, medio marchita.

—Pero nunca encuentro el momento. ¡No! No la voy a tirar hasta no traer del vivero una nueva que me guste de veras. Entonces esta Silvia se pasó esos días llena de energía para todo, y muy intrigada, porque no sabía qué de él le causaba ese efecto. Y por fin llegó el día, y a la mañana, a la hora exacta que habían fijado... él llamó. Pero, agarrate fuerte, era para decir que no podía ir, porque iba a terminar el trabajo muy tarde esa noche. Ella disimuló y no le dio importancia. Y ahí fue que él volvió a usar aquel tono de voz que tanto la había impresionado.

—¿Qué tono?

—Después vuelvo a eso. Pero no pierdas el hilo: hasta ahí había sido la mirada, que le traía recuerdos y le removía todo por dentro. Ahora se sumaba la voz. Él le dijo que tenían sin falta que encontrar otro día para verse, esa semana, y propuso el jueves. Y ella no podía, no fue por hacerse la interesante, de veras no podía, pero le dijo que si él quería podía lo mismo llamarla ese día jueves, por si la última paciente decidía cancelar. De todos modos ella dijo que el sábado a la tarde sí estaba libre. Pero ni bien lo dijo se arrepintió, porque sábado sonaba mal. Sábado es día de cita para enamorados, suena siempre sospechoso.

—No es día para conversar, tenés razón. A mí el

sábado me gusta hacer algo más importante, empezar cualquier costura más difícil, como dar vuelta un tapado, o empezar un bordado más raro, o ir a hacer una visita de esas más difíciles, a alguien que está enfermo y tenés que darle ánimo, aunque sepas que no tiene cura. O dar un pésame. El sábado es un día que me siento con más fuerzas, para hacer algo que realmente te exige.

—Era el único día que tu marido estaba en casa, y se juntaba con los chicos, y encima alguna visita que caía. Será por eso.

—Qué memoria tenés. Lástima que no la puedas emplear en nada más útil.

—Está mal que digas eso, Nidia. Por lo menos no ando dando lástima a la gente, a mis hijos sobre todo. Debe ser por la gimnasia, eso me hace circular la sangre y el cerebro se irriga mejor.

—El domingo Pepe se iba al partido, la tarde era más fácil. Pero el sábado había que atenderlo, y atender a los chicos, y si venía alguien de afuera también. Atender a todos y que todos quedaran contentos. Y casi siempre todos quedaban contentos, Luci. Para las visitas yo tenía siempre reservadas esas galletitas importadas, en lata, inglesas. Cuando todo venía de Europa tan barato.

—Antes de la guerra.

—De eso no me acuerdo. Y a los chicos les daba permiso para que jugaran de vuelta del colegio, los deberes los hacían el domingo a la mañana, mientras Pepe dormía. La cuestión era que el sábado no hubiera peleas. Y a los chicos les tenía algo especial, no simple pan con manteca, para acompañar al café con leche. Era o escones, o un bizcochuelo, o unas torrejas si se me había juntado pan viejo.

—Nidia, me vinieron ganas de budín de pan.

—Luci, lo feliz que una era y no se daba cuenta.

—Fueron años buenos y los viviste, ¿quién te quita lo bailado? Acordate de aquel dicho.

—Luci, si para de llover vamos de nuevo a esa zapatería, sé buena. Hoy mismo.

—El hombre dijo que iban a recibir el mismo modelo en marrón, pero la semana que viene.

—...

—Nidia, no te pongas así. Los buenos recuerdos tendrían que ayudar a vivir a la gente, no te pongas triste.

—Luci, me viene de adentro la tristeza, es más fuerte que yo.

—Pensá en esas mujeres que no tuvieron nada en la vida, que no se casaron, que no tuvieron hijos.

—Luci, seguí contándome de la muchacha esa.

—Bueno, pero no me acuerdo dónde quedamos.

—Que ella fue descarada y le pidió que se encontrasen el sábado a la noche.

—No, Nidia, no dijo a la noche. Dijo el sábado, pero a la tarde. Y ella no fue ese lunes o martes a la inauguración de pintura, no le importaba nada. No se iba a ir desde acá hasta el centro, a la hora de más tráfico, para ver una exposición que no le importaba nada. Si iba él era otra cosa. Pero quedó bastante rabiosa, pese a que él había demostrado interés en volver a verla. Y se arrepintió de no haber cancelado ahí en el acto a la última paciente del jueves, para fijar bien la cita con él, ya que el tipo podía ese jueves. Ella siempre se queja de eso, de no tener reflejos rápidos, siempre se le ocurren las cosas cuando ya pasó el momento oportuno. Y dice que con los pacientes eso no la atranca, porque quien habla es el paciente, y ella escucha, y únicamente cuando tiene algo muy claro que decir ella abre la boca. La cuestión es que mal que mal llegó el jueves, y tenía la esperanza de que la última paciente cancelase, pero no llamó durante el día. Y ella mientras atiende pacientes coloca el contestador automático en el teléfono, pero ese día entre paciente y paciente lo desconectaba, para poder atender personalmente ella, y entre un paciente y otro hubo uno de temprano a la tarde que se atrasó, y ella entonces bajó a ver si el portero ya tenía el correo del día. Una tontería porque el hijo nunca le escribe. Pero el portero no estaba abajo y ella hasta se asomó a la vereda. En eso oyó que le sonaba el teléfono, que se oye desde la planta baja. Ahí corrió como una condenada los dos pisos pero cuando llegó ya no sonaba más. ¿Habría sido él? Era el jueves y la hora en que él podría haber llamado. Claro, seguro que era él, pensó. Y se quería golpear la cabeza contra la pared, por habérsele ocurrido bajar a buscar las cartas del día justo a esa hora. Si el portero hubiese estado en su puesto no le habría pasado eso, pero justo el pobre diablo habría bajado al sótano, o andá a saber, y eso bastó. Por suerte en seguida le llegó el paciente y ya con eso se distrajo. Esta Silvia dice que si los pacientes supiesen no le pagarían, les tendría que pagar ella, porque le gusta ese trabajo, le descarga los nervios, ella está mal si no tiene ese cable a tierra. Y esa noche pudo dormir, no era tan grave la cosa, lo del jueves había quedado como una posibilidad más bien remota, y entonces lo que importaba era el llamado del sábado, que se suponía iba a ser a la mañana, o a mediodía a más tardar. Ella siempre tiene un montón de cosas para hacer el sábado, antes lo acompañaba al hijo a comprarse ropa, cuando estaba en Río, ahora no, sale a comprarse ella algo. Pero esa mañana canceló toda salida y se quedó esperando el llamado. Se hicieron las diez, las once, las doce del día. Nada. Había un sol lindísimo y estando como estamos a una cuadra de la playa siempre viene la tentación de ir aunque sea un ratito. Pero prefirió quedarse. Trató de dominar los nervios y comer algo.

—¿Y el hijo, ya se le había ido a México?

—Sí, eso fue el año pasado. Se fue para siempre, a estudiar y trabajar, hará más de un año.

—¿Antes de que ella se enfermara?

—Sí, antes.

—Entonces, Luci, fue por eso que se enfermó, pobre.

—Ahí me llamó a mí por teléfono, que fuera a charlar. A mí me extrañó, porque ella lo que quiere siempre es salir de la casa, donde está encerrada todo el día con los pacientes. Siempre viene aquí a charlar, no me llama para que vaya yo. Y le pregunté qué pasaba y no me quiso explicar nada por teléfono, porque te imaginarás la razón, no quería ocupar la línea. Yo fui y la encontré muy sacudida, pero animada, bien, y me dijo que no podía salir porque esperaba una llamada. No me dijo de quién. Eran más o menos las tres de la tarde. Tomamos un café, después al rato trajo unas galletitas riquísimas, pero estaban un poco secas y ahí trajo un vinito. Ella nunca toma, pero ahí se tomó dos copas casi seguidas, yo noté que se estaba poniendo rara. Y me hacía preguntas y yo le contestaba, de todo un poco, pero ella no se podía concentrar en lo que yo le decía, miraba para todas partes como buscando algo, no a mí, claro. Y si se producía un silencio ella me salía con otra pregunta. Por ahí me sentí como que me estaba atendiendo tipo paciente, pero mal, sin interesarse mucho por lo que yo le decía, porque quedaba con la mirada perdida, mirando para todas partes, pero sin encontrar nada, claro. Ella tiene la costumbre de pasarse la mano por el pelo y se va despeinando toda. Pero eso lo sabe y después de un rato se levanta y va al espejo y se acomoda las mechas. Pero ese día no, la vi mal, se le iban acentuando las ojeras a medida que pasaban los minutos. Y por ahí sonó el teléfono. Esta mujer dio un salto, como si le hubiesen tocado un nervio con un alfiler. Corrió al teléfono pero dejó que sonase una vez más, el porqué no sé, sería para demostrar que no estaba al lado pendiente de la llamada. Era un número equivocado, que acá en Río habrás notado como sucede fácil. A las cinco me volví a casa, sin que me contase nada, pero claro que yo me di cuenta que algo le estaba pasando.

—El hombre no llamó.

—No. A las nueve y media de la noche me llamó ella. Yo ya estaba viendo la película que había sacado del video-club, no me acuerdo cuál era. Yo estaba sola, por supuesto, a esa hora. Y se vino, pero claro, yo paré la película. Me pidió si tenía alguna otra para ver. Yo le dije que no. Ella quería ver una bien triste esa noche, dijo que tenía ganas de llorar. Me propuso tomar un taxi y sacar otra película, había que apurarse porque el club cierra a las diez. Yo no sabía que los fines de semana cierra a las doce de la noche, y ella ahí llamó al radio-taxi, carísimo, y nos fuimos volando, y trajimos... no me acuerdo bien, o «La divina dama» o «El puente de Waterloo», con Vivien Leigh era. Muy tristes.

—¿Las dos son tristes?

—Muy. Como nos gustó tanto una, después otro día sacamos del video-club la otra. Pero no me acuerdo cuál fue la primera de las dos.

—Me gustaría volver a verlas, las tengo muy olvidadas.

—Vas a llorar, ¿te parece que te hará bien? ¿No te hará mal? A esta Silvia la impresionaba mucho cómo estaba Vivien Leigh, sobre todo en «El puente de Waterloo», tan linda, joven de unos veintipico, pero con una cosa oscura dentro, que impresiona mucho, en los momentos en que el destino se le interpone. A ella como psicóloga la impresionaba mucho porque Vivien Leigh cuando hizo esas películas tenía todo en la vida, ¿y cómo podía saber que la vida si quiere te lo puede quitar todo, de un momento para otro? Hay momentos en que ella parece que se asoma a algún lugar, vaya a saber cuál, desde donde ve un precipicio, sin fondo, o un pozo cualquiera, hondo, al borde mismo del pie.

—¿Eso sale en la película?

—No, es lo que ella te transmite como estado de ánimo, que lo que ve es un pozo sin fondo, o una nube negra, que tapa todo lo que está cerca, tapa la casa, los hijos, el marido, no le deja verlos más.

—Pero ella no se alcanza a casar, en «El puente de Waterloo», muere soltera.

—Ya sé, pero es un modo de decir, yo no sé bien en el caso de ella, pero es eso, estar sola frente a una nube negra, y no saber si internarse en esa nube para tratar de encontrar la casa de nuevo, con todas tus cosas, que has perdido, y encontrar a los chicos, que ya son grandes y no te necesitan más, y al marido, que antes sostenía a esa casa bien firme en su lugar, como si a la casa él consiguiese tenerla bien clavada al terreno, por el solo hecho de entrar y pisar firme. Pero ese hombre que era tan fuerte ya no está más, y si se da un paso adentro de esa oscuridad tal vez la suerte ayude, a encontrar tantas cosas perdidas, vaya a saber. Porque a lo mejor ese temporal que pasó no se llevó la casa, como todos creían. Pero ella ahí en la película ve esa nube, como una amenaza, que la asusta mucho, y años después en la vida real perdió la salud, para siempre, y vivió padeciendo el resto de sus años, por problemas de nervios, y murió joven, de cincuenta y algo.

—Yo de muy joven nunca me imaginé, todo lo que nos podía pasar, ¿vos sí?

—No, me parece que no, Nidia.

—Y perder a mi chica, eso yo nunca lo pensé, ni en una pesadilla.

—Yo tampoco creía que iban a pasar tantas cosas feas.

—Es porque hemos llegado a esta edad, Luci, y da tiempo para ver muchas cosas.

—Yo no me metería en esa nube.

—No pienses en esas cosas, Luci.

—Si te metés en lo oscuro yo creo que no se encuentra nada, no se ve ya más donde pisás, ni tus propios pies. Ni las manos.

—Luci, tus dos hijos están sanos, por favor, no inventes cosas. Ya bastante con la realidad.

—Es que me acordé de todo lo que comentaba esta Silvia cuando vimos las películas. En la otra ella es una mujer de la historia, Lady Hamilton, muy diferente, despreocupada, pero el destino está contra ella, y cada vez que sucede algo ella no se doblega, y casi que no puede creer que sea a ella que le haya tocado la desgracia. Y al final sí, ya se entrega, y queda como muerta en vida, todos sus últimos años, y ni siquiera quiere comer, está en la última miseria y cuando consigue robar una botella de vino se acuerda de las cosas buenas que le pasaron, pero le parece que fue a otra que le sucedió todo eso, ya no consigue más creer que fue a ella que le tocó tanta dicha.

—Los momentos en que la vida le sonrió.

—Ya eso cree que le pasó a otra.

—¿Y la muchacha ésta lloró mucho al ver la película ese sábado?

—Lloró un poco. Y dice que le hizo bien. Aunque yo creo que lo que le hizo bien fue contarme todo. Fue la primera vez que me contó lo que le estaba pasando. Después me lo volvió a contar no sé cuántas veces, tratando de entender por qué él se había alejado. Todo lo que te acabo de contar.

47

—¿Y el domingo qué pasó?

—Ella decidió irse a pasar el día a una playa a dos horas de acá, para no estar pendiente del teléfono, eso la había agotado, todo un día esperando ese llamado. Pero dejó conectado el contestador automático, cosa que ella no hace los días de descanso, para que no le dejen recados los pacientes. Recados de S.O.S., porque les viene depresión de fin de semana, tenés que ver qué historias.

—¿Y el lunes?

—Días de semana sí conecta el contestador y al final del lunes al escuchar los mensajes había dos llamados sin ningún mensaje grabado, la persona había colgado el tubo sin decir nada.

—Podían ser números equivocados, acá pasa a cada rato.

—Pero siempre queda la duda. No sé si fue el martes o el miércoles que ella me pidió un gran favor. Que en los ratos que yo no tenía nada que hacer le fuese a su casa y contestase el teléfono mientras ella trabajaba, así el tipo se tenía que dar a conocer si llamaba. Yo fui porque la vi muy necesitada, realmente. Eran días lindos de sol, pero fui lo mismo todos los días de esa semana, tres días creo, me levanté más temprano para ir al turno de gimnasia de las siete, en el club. Y a las nueve ya estaba ahí como un soldado. A mí me gusta estar ocupada, vos sabés. Pero el tipo no llamó. Y el sábado que siguió ella no sabía si quedarse en casa esperando el milagro o no. Se quedó, no pudo resistir, pero me pidió que fuese yo a hacerle compañía.

—Quedaste en explicarme lo de la voz del hombre, qué era eso que la impresionaba tanto.

—Ese sábado ella estaba mucho más calma. Casi contenta. Le resultaba una sorpresa agradable, había creído que no le iba a pasar nunca más en la vida, de entusiasmarse así por un hombre. Y que ahora quería saber por qué. Se sentía como una quinceañera.

—Decime de la voz.

—Ella antes que nada se impresionó con la mirada de él, pero eso me lleva a otra cosa y no quiero perder el hilo. Lo de la voz sí ella lo entendió en seguida. Según ella era, bueno, eso me lo contó tantas veces, me lo explicó millones de veces, y con palabras diferentes, porque yo no le captaba bien lo que decía. Pero a vos yo te lo digo en pocas palabras, lo principal...

—Sí...

—¿Cómo te lo explico?

—Algo le temblaba en la voz, eso me dijiste.

—Parece que él tenía como dentro del pecho...

—Es simple tristeza, Luci. Como tenemos todos los que perdimos a alguien.

—Según ella a él le quedó algo raro adentro del pecho, que el tiempo no tocó. Él sí se volvió maduro, envejeció un poco, pero adentro todavía lleva a ese que él era antes, un muchacho jovencito al que nadie deja hablar. Está callado, en penitencia en un rincón, y pasa el tiempo y está siempre el pobre ahí olvidado, pero no envejece, adentro del corazón le quedó un muchacho en penitencia, que no se anima más a abrir la boca, y quejarse de nada. Pero ella lo presintió, que estaba ahí, un lindo muchacho, ya fornido como él es ahora aunque sin nada de barriga, pero olvidado por todos, y le habló. Y el muchacho no se animaba casi a contestarle, por eso le salía la voz así, ronca, y a los tropezones, porque no podía creer que por fin alguien le dirigía la palabra. ¿Entendés lo que voy diciendo?

—Sí, claro, ¿pero vos por qué no se lo entendías a ella, si es tan sencillo?

—Es que me lo contó de muchas otras formas.

Parece que con los pacientes hacen mucho eso, de explicar de distintas maneras las cosas, los sentimientos. Tiene un nombre eso que hacen.

—¿Y por qué no le entendías?

—Al final le entendí, Nidia. Eso se llama algo de las imágenes, juego de las imágenes o algo así. Otra cosa que me decía, te cuento: que era como la voz de alguien que se ha caído en un pozo muy hondo, pero la persona que está afuera lo oye y le contesta, lo que no se sabe es si el socorro va a llegar a tiempo, para sacarlo. La esposa de él sí ya se ha hundido para siempre en la oscuridad del pozo, de miles de metros de profundidad, como la boca de una mina de carbón abandonada, o peor, una gruta subterránea donde hay partes con agua que te arrastra. Y él en realidad no está pidiendo auxilio, porque ya no cree que se pueda salvar, y a la persona que lo escucha le dice eso, que por favor no lo ilusione, si no está segura de que el equipo de socorro va a llegar a tiempo.

—Pero ésta lo que quiere es salvarlo ella sola, nada de equipo de socorro.

—Yo creo que ella quería asegurarle que salvación había, sola o con ayuda de otros, eso no importaba, lo principal era que él no se soltase de donde estaba agarrado, que no se resbalase más hondo todavía, porque los que conocían la gruta subterránea sabían que él estaba en un lugar fuera de peligro, a ciegas pero fuera de esa corriente de agua helada fatal que se había llevado a la esposa. Entonces, según decía esta Silvia, todo eso ella lo había percibido en la confitería, pero cuando él la llamó esa última vez por teléfono de nuevo ella presintió que él sí estaba en peligro, porque las cosas habían empeorado.

—Pobre, él estaba triste, pero no en peligro. Ella inventa mucho, me parece.

—Ella captó que el pobre hombre no creía que de

tanta gente necesitando ayuda, era a él que había elegido, para rescatar de esa gruta tan fría y tan oscura. ¿Me entendés?

—No sé qué decirte...

—Nunca yo la había visto así alocada, y son seis años que la conozco. Y es una mujer más bien reservada. Cuando la enfermedad de ella no me dijo nada, que estaba con semejante terror. Fue después que me enteré, cuando todos los análisis dieron negativos y a ella le vino ese ataque de alegría.

—¿Qué ataque de alegría?

—Ésa fue la primera vez que la vi alborotada, o más todavía, bien fuera de control. Ella no podía creer que se salvaba, estaba feliz de poder seguir mandándole plata al hijo, para estudiar. Y prometió que nunca más le iba a dar importancia a pavadas, y que iba a gozar de la vida. Me trajo un ramo de flores enorme, de flores campestres, y me pidió de hacer un brindis en casa, al terminar con los pacientes, que al final se hizo tan tarde que yo ya estaba viendo una película.

—¿Ella siempre te elige la película?

—Sí

—¿No es un poco abusadora?

—No, Nidia, ella tiene poquísimo tiempo, yo si quiero veo dos y tres por día, tengo tiempo de sobra. Ese día eligió una de terror, que le encantan. A mí no me gusta verlas de noche, porque impresionan, pero como era un día tan especial para ella acepté.

—Es caprichosa, entonces.

—No, Nidia, era un momento muy único en su vida, ¿no entendés?

—Decime la verdad, Luci, ella creía que tenía cáncer, ¿verdad?

—Sí, no te quise decir nada para que no te acordaras de Emilsen.

—De Emilsen no me puedo olvidar un solo momento. A veces a la noche sueño que está viva, y me alivio, siempre igual lo que sueño, que me había asustado de balde con la enfermedad, que no era grave. Y después me despierto y en lo primero que pienso es en eso, que está muerta. Y cada vez me tengo que acostumbrar de nuevo a la idea, y me cuesta cada vez más.

—Es una cosa tan rara, que a alguien le toque salvarse y a otros no. ¿Quién decide eso? Nadie, es una lotería. Pero fue así, ésta tenía todos los síntomas peores, un tumor maligno en la matriz. Y salió perfectamente bien. Se extirpó facilísimo, y la ramificación que había al principio al final quedó en la nada, yo creo que fue algo que inventaron para hacer la segunda operación, cosas de médicos. Para sacar plata.

—Tuvo suerte. ¿Y la mujer del tipo también tenía ese mal?

—Sí. Esa clínica se especializa. Tienen todo para la quimioterapia y esas cosas.

—¿Y del tipo ya te había hablado cuando estaba todavía en tratamiento?

—¡Claro que no! La primera vez fue la noche de la película triste, la de Vivien Leigh.

—¿Cuándo fue todo eso?

—En el final del invierno, hace unos tres o cuatro meses.

—¿Y él cuándo volvió a llamar?

—No llamó, ella esperó una semana y tomó una resolución: ponerse a buscarlo. Lo único que sabía era el nombre de la persona a la que él le había hecho el trámite en el consulado. Porque en la guía telefónica no encontró a nadie con el nombre de él mismo.

—¡No te puedo creer! ¡Entonces él nunca le dio su teléfono!

—No.

—¡Es porque se la vio venir, que era una cargosa!

—Él algo le dijo, que nunca estaba en la casa, algo así. Bueno, entonces ella llamó ahí, que era un escritorio, de una empresa de importación de fruta. Y empezó el calvario, porque él ya había terminado el trabajo ahí, y nadie tenía el número de él. Una de las secretarias prometió averiguárselo, pero pasó un día o dos y la tipa no llamó. Entonces Silvia llamó de nuevo, y tuvo un golpe de suerte. Esa primera secretaria estaba en la hora de almuerzo y la atendió otra, que sí sabía un número donde encontrarlo. Esta Silvia casi se desmaya, y llamó en seguida pero era un simple teléfono donde se dejan mensajes. Y como el nombre de él es tan común, Ferreira, nadie lo ubicaba bien. Se escribe con i latina, no con i griega como en la Argentina, y encima después no la pronuncian a la i, dicen Ferrera, son locos. Bueno, volvió a llamar después del fin de semana, porque eso me parece que fue un viernes, y el lunes le dijeron que sí tenían un dato seguro, y le dieron el número de donde estaba trabajando entonces. Ahí llamó en seguida y era una repartición pública, del Ministerio de Hacienda, y la empezaron a pasar de una extensión para otra. Y nada. Pero por lo menos ya ella había dejado el mensaje en aquel otro teléfono. Con eso se calmó un poco. Y esperó unos días. Ese otro viernes ya no pudo más y llamó de nuevo al Ministerio. La pasaron de uno para otro y por ahí le dieron con alguien que parecía que conocía a un Ferreira que llevaba libros. El hombre vino al aparato, y así, sí lo conocía. Y ahí ella casi se cae seca, el tipo le dijo: «Ah, usted es la señora del barrio de Leblon, ¿él no la llamó?» Fue tal la sorpresa que no se animó a preguntar más, apenas si alcanzó a dejarle el mensaje de llamar urgente. Nada, pasaron otros días más. Pero ya todo estaba mejorando, él se acordaba de ella, y había llegado hasta a comentar algo con un compañero de trabajo.

—«A ésta no sé cómo sacármela de encima», habrá dicho.

—El nombre de ella había estado en labios de él, eso la dejó impresionadísima, «la señora de Leblon». Para entonces no fui más a atenderle el teléfono porque ya no me lo pidió, aunque ganas no le faltarían. Pero ya habría sido una exageración, ¿no te parece?

—Ya lo creo.

—¡Ah, se me olvidaba un detalle fundamental! A ella se le estaba acercando la fecha de un viaje de trabajo, más de diez días fuera de Río. Y si él no la llamaba antes imaginate qué lío, podía llamarla cuando no estaba, y después olvidarse de ella para siempre.

—Seguí.

—Aguantó a duras penas unos cuantos días pero por ahí se decidió y volvió a llamar al Ministerio, y pidió hablar con ese último hombre, que no me acuerdo cómo se llamaba. Después de recorrer mil números no lo consiguió, pero le dejó mensaje, ¡a ese último! Y ese tipo la llamó, le dijo que no lo había visto más pero que Ferreira tenía que volver un día por ahí, y que él también estaba un poco preocupado porque lo había notado muy deprimido la última vez, unas dos semanas antes, es decir en la época del famoso cocktail. Esta mujer ahí casi se muere, quería volar hasta ahí para salvarlo de qué sé yo qué, ya se lo imaginaba a punto de suicidarse, quería pararse ahí de plantón en el Ministerio de la mañana a la noche, pero era inútil porque él iría a esa oficina vaya a saber cuándo. Esa noche apareció por casa, creo que fue la vez que vimos la otra de Vivien Leigh. Y al día siguiente no pudo aguantar y volvió a llamar al Ministerio. Siempre había tenido que pasar de telefonista en telefonista, por mil extensiones que tienen ahí, y ese día llamó al mismo número que le había dado ese último hombre, y que era uno de los más engorrosos para dar con alguien, siempre ocupado. Ella llamó y esta vez en seguida contestaron, ella pidió hablar con ese último hombre pero quien la atendió le pareció de voz conocida: «¿Es usted, Silvia?»

—No te puedo creer.

—Ella ahí casi se desmaya, ¡había contestado él mismo! No el otro, él mismo. De todas las miles de líneas de ese Ministerio. Y en seguida él le dijo que tenían que verse, y ella le dijo que sí, él le pidió la dirección. Al día siguiente era sábado, él le dijo que a él le venía bien a la mañana, a las diez. Ella no podía creerlo. Se despertó temprano, a eso de las siete, pero le dio un ataque de cosa negativa, no arregló la casa ni se arregló ella, estaba convencida de que a último momento él iba a llamar diciendo que algo había sucedido y no podía llegar. Pero a eso de las diez menos veinte el teléfono todavía no había sonado, me llamó a mí para que la llamase y verificase que el teléfono andaba. La llamé y andaba perfectamente. Ahí entonces se peinó un poco, pero nada más, no tenía realmente fuerzas para nada, se había agotado de tanto luchar por ese encuentro. Se puso a escribir una carta a una amiga de Buenos Aires, con la que no se comunicaba hacía siglos, para no quedarse mirando las agujas del reloj. A las diez en punto el timbre de calle sonó. Ella puso el ojo en la mirilla de la puerta, segura de que era el portero a traer una cuenta del gas o la luz, o cualquier otra cosa así. No, era él, créase o no. Estaba ahí, esperando que ella le abriera.

CAPÍTULO CUATRO

—¿Ya apagás la luz?

—Sí, tengo sueño.

—Qué suerte que podés dormir sin leer antes.

—La caminata me cansó, qué hermoso día fue. Hasta mañana, Luci.

—Yo voy a leer un poco, mientras me hace efecto la pastilla.

—Chau.

—Hasta mañana.

—¿Pero no era que ya te habías leído todo el diario?

—Éstos son unos suplementos viejos, los debo haber guardado porque me habrán quedado unas cosas sin ver.

—Chau, Luci.

—Recién ojeé un poco y no sé por qué es que los guardé.

«FINCA IMPERIAL — LA ARQUITECTURA COLONIAL PUEDE PERDER UNO DE SUS MÁS BELLOS MONUMENTOS. A 40 kilómetros del centro de la ciudad de San Sebastián de Río de Janeiro, en el pueblo de Santa Cruz, uno de los pocos remanentes de arquitectura colonial acumula lento proceso de abandono, iniciado hace cerca de diez años y acelerado, ahora, por un incendio más. El edificio está distante de las oficinas centrales del Gobierno y también de cualquier iniciativa del poder público para preservarlo. Los vecinos temen que en breve sea demolido. Del viejo palacete que perteneció a Su Majestad Juan VI, y que más tarde abrigase al primer conservatorio nacional de música, quedan sólo ruinas, para desolación de los habitantes de la zona, que querrían verlo aprovechado como centro cultural. El patio del inmueble ha sido invadido por los matorrales, pero el edificio en sí se mantuvo prácticamente intacto hasta hace aproximadamente dos años cuando fue seriamente dañado por un primer incendio. Aun así, la estructura del imponente palacete de dos pisos, de pilares extremadamente altos, resistió hasta cerca de hace dos semanas, al alcanzar un nuevo incendio las columnas y el techo, que quedó completamente destruido. Habitantes de las inmediaciones suponen que el fuego haya sido causado por mendigos instalados en el lugar, ya que después del siniestro no fueron más avistados. Son evidentes los riesgos de una visita actual al caserón: parte del suelo del segundo piso —todo en pino de Riga— ya se ha desplomado y todavía continúan cayendo tejas, así como astillas de vidrio de las ventanas, y vigas. La fachada del palacete, empero, parece permanecer sólida, en función de la resistencia del material utilizado en su construcción, manteniendo por lo tanto encendidas las esperanzas de quienes creen en su preservación.»

«ONDAS DE VERANO — LA TEMPORADA COMIENZA CON NOVEDADES EN ROCK, CINE E HISTORIETAS. Después de la jaqueca del despertar de año nuevo, es hora de empezar a habituarse a las caras nuevas del Brasil nuevo. El verano ya está despidiendo fuego, especialmente para los aficionados al rock y al cine. Y las historietas prometen por lo menos una novedad de escalofrío. No será una sucesión de explosiones pasajeras como en el esquizofrénico año que acaba de fenecer, y por cierto que los mediocres encontrarán poco espacio. Con la economía en franca baja, sólo va a sobrevivir lo que valga.

»Para empezar, palabras como *performance, postmoderno, clean* y *dark* deben ser arrojadas sin la menor ceremonia a la lata de basura de la historia. Las *performances* se hundieron en su propia indigencia y falta de renovación. En cuanto al postmodernismo, los deslumbrados de turno pueden despedirse de toda ilusión leyendo *Todo lo que es sólido se desintegra en el aire* de Marshall Berman, un libro que merece más que cualquier otro el derecho de ser el *must* del verano, aunque más no sea para despertar críticas apasionadas. Lo *clean*, como era de prever sólo sobrevivirá como marca de detergente en las estanterías del supermercado. Y lo *dark*, la broma pesada del 86, degeneró en los *darkes*, pobres criaturas que banalizaron el simbolismo de lo negro y la nobleza del tedio.

»Y para enterrar de una vez el *darkismo* el salón Crepúsculo de Cubatão, entronizado por la midia como templo del *movimiento*, resolvió apostar a un cambio de imagen. Los disc-jockeys ahora hacen que estallen *afrobeat, hip-hop, soul, funk* y *reggae*, amén de los Siux y Bauhaus inevitables. Durante todo el mes de enero desfilarán por la casa grupos tales como Kingo, Mercenarias, Disturbio Social y otros más. Lo único que no se sabe es cómo será posible conciliar en aquel reducido sótano un grupo orquestal con una platea de aficionados. La acústica desde ya queda en las manos de Dios. Pero como los shows empiezan siempre después de medianoche, la diversión está garantida.

»De las sombras también resurge el Circo Volador programando un superfestival de rock con Plebe Grosera, Inocentes y dos noches especiales, una *punk* y otra con grupos nuevos de Brasilia. Otra promesa es el show de los Guardabarros del Éxito, que tocarán el día 25 en el Estadio de Remo de la Lagoa, después de haber recorrido medio mundo. De todos modos quien abre fuego es el Kongo.

»Ahora que el rock es parte integrante y expresiva de la música popular brasileña pueden llorar los puristas del populismo, puesto que ha llegado la hora para que esta gente electrizada demuestre su valor. Está llegando una avalancha de nombres nuevos: de Río el ya citado Kongo, además de los Picassos Falsos y Jot Deduh, dos expresiones del *funk* tribal. Sin olvidar el Black Future, o sea la nada llevada a sus últimas consecuencias, y Hojerizah, cultores del *rythm'n blues* psicodélico. De San Pablo están anunciándose el Ghetto, El Violeta de Otoño y la estupefacción total del Vzyadoq Moe, mientras que Brasilia apronta los inéditos grupos Pánico, Escuela de Escándalos, Arte en la Oscuridad, Marciano Sodomita y Los *(sic)* Mujeres Negras. Únanse a éstos las decenas de grupos y artistas aún no definitivamente establecidos y ya componemos un menú musical de los más apetitosos. Detalle: los nombres citados no representan más que la punta del iceberg.»

«SCIASCIA DENUNCIA CARRERISMO EN EL COMBATE A LA MAFIA Y DIVIDE A ITALIA — Roma. El escritor siciliano Leonardo Sciascia está pagando precio alto por su denuncia de una auténtica y floreciente industria anti-mafia. Una industria que no se limita a producir personajes notorios y respetables, sino que también facilita y precipita el éxito de carreras de políticos y magistrados, principalmente en Sicilia. Sciascia tiró la primera piedra con un artículo de página entera publicado por el *Corriere della Sera*, periódico de gran tradición en Italia. Una vez más actuó llevado por su fidelidad a la formación y estilo que marcaron su personalidad y su obra de intelectual anticonformista y provocador, libertario exigente siempre atraído por causas e ideas difíciles.

»Ya reconocido como el primer gran escritor no folklórico, austero, de la Italia de posguerra, Leonardo Sciascia, a los 66 años de edad y con 18 libros de narrativa y teatro publicados, fue también el primero en usar la literatura con fuerza y maestría como arma eficaz contra sistema y métodos mafiosos. Sin su obra, difícilmente se habría conseguido la información y el conocimiento sobre la mafia que despertó y movilizó a los mejores combatientes contra la Cosa Nostra de nuestros días.

»... en nombre de la incontrolable aversión que siempre sintió por todos los mitos. O inspirado por el profundo desamor que manifiesta por los símbolos y expresiones del poder.

»... que lo llevaron a escribir el artículo —una vez más contra la corriente— que hirió y escandalizó a la gente honesta de Palermo y dividió a Italia en dos bloques, a favor o en contra de Sciascia. Como en los días del...

»... la vida, Leonardo Sciascia vuelve a ser la inteligencia más desagradable del país. Esta vez el blanco de Sciascia es el llamado Frente Antimafioso, integrado por magistrados, políticos y una asociación que se denominó *Coordinamento dei Democratici*. El escritor los ataca y denuncia porque estarían transformándose en un poder conformista, que no acepta críticas, controles y análisis serios, que usa la lógica de la emergencia para insultar y condenar a quien disiente de su acción. Sciascia coloca bajo sospecha al actual intendente de Palermo, un joven y original demócrata-cristiano y al juez...

»... y administrar eficazmente la ciudad de Palermo. En él Sciascia individualiza otra maniobra carrerista. Él estaría usando los méritos ganados en los últimos seis años —poniendo en riesgo incluso su vida y la de su familia— para obtener un ascenso, el de su nombramiento para el cargo de...

»... y desde la publicación del artículo se está asistiendo al "linchamiento" público de Sciascia, promovido y ejecutado no solamente en Palermo sino en todo el país, por hombres y organizaciones que no deberían ignorar u olvidar el valor de su buena fe y la contribución que desde casi treinta años está dando para la creación de una resistencia cívica y valiente ante los crímenes mafiosos que debilitan y desmoralizan Italia.»

«LAS HORAS ADQUIEREN ESTILO. Nada mejor que empezar un nuevo año dando cuerda al reloj. En el mercado carioca hay de todo para todos los gustos. De que hubo un *boom* en la venta de relojes nadie duda. Lo más vendido fue...

»... los relojes decorativos ganaron en osadía pero los que...

»... hartaron. LO QUE SE USA: reloj sumergible // reloj de sala en granito, mármol y piedras varias // números explícitos para todas las horas. LO QUE YA NO SE USA TANTO: colores fuertes // reloj como joya para la noche // pulseras de cadenas.»

«PERFIL DEL CONSUMIDOR. En el teatro y la televisión ella es siempre sinónimo de éxito. Nacida en la soleada región de...

»... y como consumidora no se priva de nada. Veamos cuáles son sus preferencias.

Perfume: Varios, entre ellos el Magie Noire y el Azzaro ("pero también me gustan las colonias que huelen a matorral, son deliciosas"). *Shampú*: los fabricados en San Pablo de marca Venado de Oro, para cabellos teñidos. *Jabón*: Jurúa para la cara y el norteamericano Lint para el cuerpo. *Colirio*: Lerin, diariamente. *Tabaco*: No fuma hace exactamente seis años, ocho meses y diez días ("gracias a Dios"). *Depilador*: Se depila con cera caliente en el Instituto de Belleza Garden, de Copacabana ("soy clienta desde hace 25 años"). *Peluquero*:... *Desodorante*:... *Jeans*:... *Ropa interior*: trusas italianas La Perla ("no marcan, debido a sus sedosos hilos de algodón"); corpiños de cualquier marca, no deja nunca de usarlos, y para gimnasia exclusivamente la marca norteamericana Exquisite Form. *Medias*: Marca Kendal para horas de trabajo en televisión, para teatro las Leggs's y para las soleadas mañanas cariocas las populares Drastosa. *Analista*: Astréa ("me analizo hace tres años y medio, me mejoró mucho la mente"). *Director favorito*: Woody Allen. *Sueño de consumo*: "una heladera que jamás se descomponga para que no se me eche a perder el caviar". *Frase favorita*: "No me avergüenzo de cambiar de opinión porque no me avergüenzo de pensar" (Schiller).»

«LA BAHÍA DE LAS 365 ISLAS. Descubierta oficialmente el 6 de enero de 1502, día de la Epifanía y por eso llamada Angra dos Reis, o sea Ancla de los Reyes, la deslumbrante bahía ya era para entonces conocido lugar de paseo de los indígenas tamoios. Según registros históricos ellos allí nadaban, paseaban en barca, pescaban y se masajeaban en sus cascadas. Exactamente el mismo programa para el cual se desplazan actualmente paulistas, cariocas y turistas del mundo entero 400 años después, en busca de sus dos mil playas.

»La lluvia ha sido persistente este año, pero tarde o temprano el calor va a demostrar quién es aquí el dueño de la estación y...

»... allá por 1625 una imagen de Nuestra Señora

llegó dentro de un velero, con destino a San Pablo. Pero siempre que el velero intentaba continuar viaje el cielo se ponía negro y diluviaba, aclarando de inmediato en el momento que el navío tocaba el puerto de Angra, refugiándose de la tempestad. La imagen parecía haber gustado del lugar y la población le construyó allí una iglesia.

»... en dirección de cualquiera de sus 365 islas el primer paso a seguir es buscar el Muelle de Santa Luzia y decidir entre un barco colectivo o una "voladora", lanchas de mucha velocidad para los muy apresurados. La ruta hacia el paraíso —que invita a soñar con aventuras de piratas, tesoros hundidos y picnics románticos— ofrece paradas en bares locales que ofrecen camarones enormes, peces fritos y pulpos.

»... y en Isla Grande el encanto reside en la simplicidad del encuentro con la naturaleza y no en el lujo. Hay sólo dos hoteles, sin grandes comodidades pero mucha hospitalidad. No hay restaurantes pero se puede comer pescado fresco, cocinado con refinamiento, en cualquiera de los dos bares. Y para recorrer la región el visitante estará obligado a recurrir a los barquitos de pescadores o a desentumecer las piernas en largas caminatas por selva y peñascos.

»Villa Abraham, donde recalan las barcas que llegan del continente, es un muelle calmo y somnoliento, con cuatro mil habitantes, casas modestas, algunas de época colonial. El lugar está libre del rugir y humear de motores, los pocos automóviles pertenecen a la intendencia y a la policía. En diez minutos a pie se llega a la primera cascada, la cual se vuelca en una piscina natural con fondo de piedras refulgentes. Y a pocos metros el antiguo acueducto, con bloques desmoronados ostentando todavía las más fantasiosas variaciones sobre la Cruz de Malta, sugiriendo motivos de horror y de sublime elevación.

»El acueducto tenía como finalidad llevar agua al lazareto, construido en 1771 a orillas de la playa y hoy en ruinas. En su origen el pabellón servía de abrigo a quienes llegaban de Europa y debían pasar por un período de cuarentena.

»... una parada además es obligatoria para una zambullida en la Bolsa del Cielo: su agua transparente muestra el fondo hasta cinco metros. Y bien cerca, a quinientos metros, está la playa de la Congregación Menor, cuyos cardúmenes de maringás, peces menudos y muy ágiles, no se asustan de los eventuales bañistas, como en cambio sucede con el sargento, un pez mediano muy bonito de listones amarillos y azules. En la jungla circundante cantan pardales, merlos, golondrinas, papagayos e incluso tucanos. Y más allá se cierne la playa del Murciélago, sombreada y secreta, donde todavía queda en pie la casa construida por el pirata Juan Lorenzo en 1629, y en total contraste más allá se abre la Ensenada de las Palmas, donde el verde de las aguas es sorprendentemente idéntico al verde del follaje selvático que la circunda, aguas y follaje perdiendo su frontera como en un sueño se aúnan el pasado y el presente, lo inexistente y lo real, lo horrible y lo sublime, la verdad y la mentira, el dolor y el placer. Y más allá aún...»

«BIKINIS CON LLUVIA O SOL. Dos piezas aguardan ansiosas el sol fuerte y estable: el sostén y la trusita de los bikinis modernos. Al comienzo de cada temporada, diseñadores como Zilda Maria Costa echan leña al fuego de la creatividad para reinventar esos trapitos selectos que han de marcar una de las pocas áreas en que la moda brasileña muestra su valor.

»—Son dos pedacitos de tela Lycra, que una recorta, pespuntea, amarra con vaya a saber qué nuevo nudo, todo con tal de que no se parezca al modelo del año pasado.

»—Si el modelo no se distingue gran cosa del del año pasado, las muchachas que practicamos deportes acuáticos y especialmente de ola alta, nos las ingeniamos para reinventarlos atando sus tiras de maneras inéditas: amarramos el sostén a la trusa, cruzamos los breteles en la espalda, los transformamos en un simulacro de traje de baño enterizo.

»Uno de los fabricantes al lanzar su colección distribuyó un folleto, con comentarios sobre los viajes de investigación de sus diseñadores, en busca de novedades. "Nadie copia a nadie, pero todo el mundo copia a todo el mundo." Común a casi todas las colecciones es sin embargo el tejido Lycra, un producto internacional de la Dupont.

»Para el 87-88 están decididamente de moda los colores ácidos: verde, rosa, naranja, turquesa, en tonos claros y combinados. Y los nudos inesperados, por ejemplo los que vienen a atarse por encima de la trusa. Y los sostenes de media taza. Y las trusas de ala delta. Y las transparencias discretas de la tela. Y aunque cueste creerlo, perduran los sostenes modelo cortinita.

»En cambio han quedado relegados al exilio provincial los aderezos de caracolitos y pedrerías, y el sostén camiseta, y toda clase de rayados, y los pailletés, y sí, atención, también los problemáticos crochés.»

«UN CONTRAPUNTO PARA LAS MINITANGAS. No todo es tanga y ala delta en la moda. Etiquetas reconocidamente jóvenes, como la paulista Transport y la carioca Company, lanzaron bikinis de trusas y sostenes grandes, que facilitan las prácticas de deportes y crean una silueta antigua. Es una línea paralela, que puede ser más sofisticada y satisface a las consumidoras que no aceptan los cavados radicales y los cortes hilodentales.»

«FINCA IMPERIAL — LA ARQUITECTURA COLONIAL PUEDE PERDER UNO DE SUS MÁS BELLOS MONUMENTOS. A 40 kilómetros del centro de la ciudad de San Sebastián de Río de Janeiro, en el pueblo de Santa Cruz, uno de los pocos remanentes de la arquitectura colonial acumula un lento proceso de abandono, iniciado hace cerca de diez años y acelerado, ahora, por un incendio más.

»... viejo palacete que perteneció a Su Majestad Juan VI, y que más tarde abrigase al primer conservatorio nacional de música, quedan sólo ruinas, para desolación de los habitantes de la...

»... como centro cultural. El patio del inmueble ha sido invadido por los matorrales, pero el edificio se mantuvo prácticamente intacto, hasta hace aproximadamente dos años cuando...

»... un primer incendio. Aun así, la estructura del imponente palacete de dos pisos, de pilares extremadamente altos, resistió hasta cerca de hace...

»... todo en pino de Riga— ya se ha desplomado y todavía continúan cayendo tejas, así como astillas de vidrio de las ventanas, y vigas. La fachada del palacete, empero, parece permanecer sólida, en función de la resistencia del material superior utilizado en su construcción, manteniendo por lo tanto encendidas las esperanzas de quienes creen en su preservación.»

«LA BAHÍA DE LAS...

»... hacia el paraíso —que invita a soñar con aventuras de piratas, tesoros hundidos y picnics románticos— ofrece paradas en...

»... se llega a la primera cascada, la cual se vuelca en una piscina natural con fondo de piedras refulgentes. Y a pocos metros el antiguo acueducto, con bloques desmoro...

»... en la Bolsa del Cielo: su agua transparente muestra el fondo hasta...

»... de maringás, peces menudos y muy ágiles, que no se asustan de los eventuales...

»... el sargento, un pez mediano muy bonito de listones amarillos y azules...

»... jungla circundante cantan pardales, merlos, golondrinas, papagayos e incluso tucanos. Y más allá se cierne la playa del Murciélago, sombreada y secreta...

»... el pirata Juan Lorenzo...

»... se abre la Ensenada de las Palmas, donde el verde de las aguas es sorprendentemente idéntico al verde del follaje selvático que la circunda, aguas y follaje perdiendo su frontera como en un sueño se aúnan el pasado y el presente, lo inexistente y lo real, lo horrible y lo sublime, la verdad y la...»

—Nidia, ¿te dormiste?

—...

—Hasta mañana.

—¿Me hablabas, Luci?

—Qué bendición, que te duermas con esa facilidad.

—Apaga la luz, y te vas a dormir. Pensá en cosas lindas.

—Vos también.

—...

—¿Pero en qué podría pensar?

—En algo lindo de lo que leíste.

—...

—¿Me estás oyendo?

—Sí, pero no me pude concentrar mucho en lo que leí.

—Pensá en que vas a poder dormir tranquila toda la noche, Luci.

—Voy a pensar en eso, Nidia.

CAPÍTULO CINCO

—Qué pronto volviste.

—Es que se había tomado un calmante y le hizo demasiado efecto, se me dormía mientras hablábamos.

—Esa mujer termina mal, Luci.

—No me asustes, por favor.

—En el fondo me da lástima, ¿para qué recuperó la salud si no la puede aprovechar?

—El diablo le puso a ese hombre en el camino, Nidia. Pero la verdad es que también me volví rápido porque estaba intranquila, el Ñato tiene que llamar de un momento para otro.

—Vos estás con miedo de que alargue el viaje, confesá.

—Miedo tengo de que lo convenzan de quedarse allá.

—Si el Ñato tarda en volver yo me quedo más. Sola no vas a estar.

—...

—Qué feo vivir en un país frío. Vos no te acostumbrarías más.

—A esta edad, irme a vivir a Lucerna, me muero en ese frío. Ya me acostumbré al calor de acá.

—A nuestra edad eso no tiene precio, un lugar donde nunca llega el invierno. No sabés cómo sufro cuando vuelvo a la Argentina.

—Nidia, es increíble, con tanta gente que pasó

por la vida de una, no me quedaste más que vos.

—¡Tenés poca vergüenza! ¿Y tus dos hijos?

—Uno vive con la mujer y diez gatos, a miles de kilómetros de distancia, y el otro peor, está casado con la carrera.

—Dios te va a castigar, Luci, por desconforme.

—Yo a Dios lo único que le pido es que si hay otro mundo no me toque estar sola. Pero después de esta vida no hay nada, por suerte.

—Claro que no hay nada. Mejor que no haya otro mundo. Para injusticias ya bastante con éste.

—Nidia, hay gente que tiene más suerte, ¿o es que nadie se la lleva de arriba?

—Hay gente que tiene mucha más suerte, y no porque se la merezca. Emilsen era una chica que no le hizo mal a nadie, y ésa fue la recompensa que tuvo, morirse a los cuarenta y ocho años sin ver a los hijos recibidos ni nada. ¿Vamos a dar una vuelta, Luci?

—Ni loca, estoy con las piernas muy flojas, la escalera de la de al lado apenas si la pude subir.

—¿Por qué será que entre cuatro paredes no puedo estar? Apenas salgo me alivio tanto...

—Hoy no te podés quitar ese recuerdo, ¿verdad?

—Sí, de todo lo que sufrió la pobrecita, antes de morir, de todo lo de la clínica.

—Salir te alivia, ¿verdad?

—¿Por qué será?

—Vamos entonces, Nidia. Si el Ñato quiere llamar llamará más tarde.

—Pero ponete zapatos más cómodos.

—No, todos me duelen.

—Yo me llevo un saco, por las dudas refresque.

—Pero vamos de una vez, que cuanto más pronto salimos más pronto volvemos.

—No te quejes, Luci, que te hace bien un poco de aire.

—En la isla no había más remedio que salir a caminar a la noche, un rato.

—¿A vos te gustó mucho, o no será un paseo para repetir dos veces?

—Es para parejas, a la noche no hay donde ir, yo me aburrí.

—Todos dicen que es tan maravillosa... que a mí me dan ganas de ir, te lo confieso. ¿Vamos algún día, Luci?

—De día la vista no te alcanza para ver tanta divinidad de la naturaleza, pero a la noche no hay luz eléctrica, imaginate qué programa.

—Y según ella ahí sí fueron muy felices.

—En vacaciones las cosas son muy engañadoras. A mí, para entender el caso de ella, más me interesaba saber cómo habían ido las cosas acá. Pero ella lo que quiere siempre contar, y volver a contar, es lo de la isla.

—¿Cuánto hace que él no la llama?

—Mucho.

—Pobre, me da lástima. Ya no la va a llamar más.

—Ves, Nidia, todos esos guardias con armas son pagados por particulares. Acá vive gente muy rica, por eso se puede salir sola de noche.

—Ya sé. La sirvienta me dijo que hay militares de alto grado por acá. Creo que eso es lo que me quiso explicar, habla muy rápido para mí.

—Ves, ésa es la ventana del consultorio, la que tiene luz.

—Está esperando el llamado.

—A lo mejor se quedó dormida por el calmante, con la luz prendida.

—...

—Pobre Silvia, qué fuerte le agarró. Pero vos tenés razón, se ilusionó porque se quiso ilusionar. Esa vez que él se le presentó en la casa por primera y única vez ya se veía que había problemas. Pero de ese día ella nunca quiere hablar.

—¿No le pudiste sonsacar la verdad?

—Algo sí. No sé, puede ser impresión mía de que algo no cuenta, de ese día.

—Luci, antes de que me olvide, ¿quién es ese muchacho que está ahí ahora en la puerta de noche, en el edificio de ella?

—El guardián nocturno.

—¿Un simple portero?

—Sí, hace meses que está pero todavía no le han dado el uniforme. Lindo chico, ¿verdad?

—Cuando lo vi ahora pensé una cosa, que tiene algo en los ojos como el hombre de la vecina.

—No me fijé.

—Luci, ¿cómo no te fijaste en los ojos que tiene ese muchacho?

—No sé, debe ser que en Río hay tanta gente linda que ya me acostumbré.

—Tiene una mirada muy triste, pobre chico. Y se va a pasar toda la noche en vela, pensando en quién sabe qué. Debe tener alguna pena muy grande.

—Pero ésta de acá no dijo que tenía mirada triste, el hombre de ella.

—Yo me imaginé que tenía la mirada así, como la del pobre chico este.

—Puede no ser tristeza, a veces las pestañas largas y arqueadas dan esa impresión. ...Ves, es en este edificio que vive el militar de alto grado, el que te dijo la muchacha.

—Pero yo nunca vi a nadie con uniforme de militar por esta calle.

—Nidia, en ninguna calle, yo que hace años vivo acá nunca vi uno.

—Debe ser que no les gusta que los vean uniformados.

—Así la gente no se da cuenta de lo que son.

—Pero acá no son tan asesinos como en la Argentina, ¿o sí?

—Parece que mucho menos.

—Decime, Luci, ¿el tipo de la vecina es gordo como ese que va por enfrente?

—No, estás loca. Bueno, ella de ese único día que él le fue a la casa cuenta siempre la llegada, la despedida nunca.

—Lo que me contaste es que le llegó puntual a la mañana, por lo menos. ¿Le trajo unas flores, o nada?

—¿Qué mejor que traerle un gran entusiasmo? Ya te dije que ella no estaba casi arreglada, ni peinada casi. Apenas la cara lavada. Y lo notó muy agitado, como si hubiese corrido. Y se lo preguntó. Y él le dijo que no, que estaba nervioso y nada más, porque tenía muchas ganas de verla. Y ahí ella se debe haber sonreído, le debe haber dado alguna señal, tal vez sin darse cuenta, porque el hombre se le echó encima y no la soltó más. Casi sin hablar.

—No te creo lo que estás diciendo.

—¿No era que no te ibas a escandalizar de nada?

—¿Y no hablaron más?

—Después.

—Luci, yo no me escandalizo de nada. Contame todos los detalles, que vas a ver que no me escandalizo.

—No me contó casi nada. Por suerte estaba recién bañada, aunque de maquillaje ya te dije que nada.

—Ella lo tenía todo bien calculado. Decime una cosa, ¿ella se baña todos los días a la mañana o a la noche?

—Cuando llega a casa, después del último paciente, tiene el pelo mojado.

—Es lo que te digo. Esa mañana se bañó porque ya se lo tenía todo bien pensado, y estaba bien dispuesta a agarrar viaje. Se ve que está muy acostumbrada al trámite rápido, Luci, vos no te querés dar cuenta.

—¿Pero entonces por qué se entusiasmó tanto con este hombre, si como decís vos a cada rato tiene una aventura?

—Vos sabrás por qué se impresionó.

—Vamos por orden, dejame que te cuente bien y después te harás tu propia idea del porqué.

—¿Él le gustó como hombre?

—De eso no habló mucho. Pero sí dijo algo importante, y es que era al revés de lo que había pasado con el mexicano, a aquél era ella que tenía siempre ganas de acariciarlo, y con éste era siempre él quien empezaba a tocar. Y eso es tan lindo, que alguien te busque, y no tiene que ser necesariamente un hombre, puede ser... no sé, mi nieta cuando chiquita se me colgaba y es la cosa más divina de este mundo, que alguien que quieras se te cuelgue de vos, y no te quiera soltar.

—Mis nietos grandes me abrazan fuerte, demasiado. El más chico sí me gusta cuando me abraza, es más tiernito.

—La cuestión es que el tipo entró un poco tímido pero cuando se le tiró encima ya no hubo caso de nada. Estuvieron un rato ahí en un sofá, y cuando él le empezó a sacar la ropa ya ella prefirió pasar al dormitorio, donde podía oscurecer más, con las cortinas.

—Vos desde tu casa podés ver, si ella corre las cortinas del dormitorio, ¡en plena mañana! ¿Te diste cuenta? Esa vez quiero decir.

—¡Estás loca! Yo no estoy pendiente de las cortinas de ella, y lo menos que me imaginaba es que iban a ir tan rápido al grano. Yo después comprendí por qué pasó así, es que tanto ella como él estaban con una tensión nerviosa muy grande.

—Pero antes de entrar ahí no se habían dado ni un beso.

—Claro que no. Habían hablado aquella mañana en el consulado y después por teléfono. Nada más.

—¿Y la intimidad con él le gustó? Mirá, Luci, yo me olvido de todo ahora con la vejez pero me acuerdo que de jovencita había muchachos que me enloquecían, porque eran muy altos, o porque eran muy lindos, la cuestión es que yo me ponía hecha una tonta, de ganas de que me sacaran a bailar y algún encuentro de esos de aquella época, de un minuto en una plaza. Y bueno, por ahí cuando me daban un beso me acuerdo que había algunos que se me venían abajo, me dejaban de gustar de repente. Porque tenían feo trato, en las manos, no sé, o mal aliento, o te daban un beso muy fuerte. Y otros que te gustaban menos al verlos pasar, por ahí en el momento de darte aquel beso, te enloquecían. Aquellos que te sabían dar una caricia. De eso me acuerdo como si fuera ayer.

—Son cosas de sesenta años atrás, o más.

—Luci, de eso me acuerdo como si fuera ayer. Estoy sintiendo esa mano.

—¿De veras?

—¿No te reís si te digo una cosa? Recién me corrió un escalofrío, al acordarme tan patente. Bueno, no te interrumpo más. La cuestión es que el tipo la supo conquistar por ese lado también, porque si no a estas horas no estaría pegada al teléfono como está.

—Pero de esa vez no contó detalles, de la isla sí, ya vas a ver. Después él le pidió un café, y ella ahí empezó a preguntar más cosas de la vida de él, de cómo estaban los hijos, y un poco de todo, porque la cabeza le trabajaba tanto, pensando que clase de hombre sería, allá en lo más hondo.

—¿Fue ahí que él siguió criticando a la pobre esposa?

—Callate, eso había sido por teléfono. Esa mañana él se emperró y no quiso contar nada. Para ella fue una sorpresa, quería que él hablase, sedienta de saber de todo.

—Él estuvo bien, la puso en su lugar.

—¿Qué querés decir?

—Sí, Luci, él no la trató como médica, sino como lo que era, una desconocida con la que no tenía la menor confianza.

—Me parece que tenés razón. Ella no se lo esperaba, estaba segura de que él venía a desahogarse. Entonces insistió, y le preguntó del trabajo, cualquier cosa, de las finanzas del país, y de la inflación, y cómo lo afectaban, y qué pensaban los hijos del gobierno actual, no sé, cosas así, eso no me quedó muy grabado. Él no contestó nada especial, porque lo que quería era escucharla a ella.

—...

—Ella tuvo que contarle de su vida, porque él se le quedaba mudo. Estaba emperrado en no hablar.

—Qué bien estuvo él.

—Pobre Silvia, ella quería saber todo porque tenía ganas verdaderas de ayudarlo. Otra más egoísta lo habría aturdido hablándole de ella misma, ¿ves? Eso vos no lo entendés de ella, que es una mujer que siempre está dispuesta a escuchar a los demás.

—Pero les cobra.

—Ay, Nidia, si le tenés rabia entonces mejor no te cuento más nada.

—Vos dirás que a él no le iba a cobrar, no en plata, pero se lo quería agarrar para ella, ponerle las zarpas encima cuando todavía ese hombre no tenía sus lastimaduras curadas.

—Claro que lo quería para ella, eso no es novedad.

—Mirá qué lindo el mar. Claro, vos como lo tenés todo el año ya te cansaste.

—No, Nidia, vos bien sabés que a la mañana me encanta venir a la playa. Es que la osamenta no me da para salir dos veces por día.

—No me di cuenta, podríamos haberla invitado a ella, a caminar con nosotras, ¿verdad? Porque ella también anda deprimida.

—Yo creo que se durmió, de todos modos no se iba a querer alejar del teléfono, a esta hora le vuelve más que nunca la esperanza de que él llame.

—No sabe que lo peor es quedarse entre cuatro paredes.

—Aquel día ella a la fuerza tuvo que empezar a decirle todo de su vida. Y no se animó a decirle toda la verdad, que no salía con ningún festejante en esos días, que estaba sola. Le inventó que seguía saliendo con uno que hacía tiempo ya no veía más, y no sólo con ése, con otro más. Pero ese tema salió después, porque él le empezó a preguntar qué hacía todo el día, y ella le empezó a contar, claro, las actividades de la mañana primero. Y bueno, llegó el momento de decirle qué hacía a la noche.

—A él no le contó la verdad, ¿y a vos sí te la cuenta?

—Yo sé bien lo que hace, hasta le puedo controlar la ventana del dormitorio.

—Pero no la puerta de calle, ni la ventana del consultorio, que dan al otro lado. Perdoname, Luci, porque yo sé que vos la apreciás, pero ella algo esconde.

—¿Acaso ya sabés todo lo que le pasó? Apenas si vamos por el principio. En fin, la vida de ella es bastante rutinaria, se levanta más o menos a las siete, porque a las ocho ya tiene pacientes. Son cuarenta y cinco minutos cada uno, y después quince minutos de descanso. Todo ese tiempo prestando la mayor atención, para captar los problemas de cada uno. Después almuerza a eso de la una, y descansa un poco, y a las tres de nuevo hasta las siete y a veces hasta las ocho.

—Gana mucho entonces.

—Y paga los impuestos que quiere, porque nadie le puede controlar nada. En pocos años se ha comprado el departamento en que vive y otros más para alquilar. La verdad es que ni sabe qué hacer con la plata que gana. Y dos tardes por semana no recibe pacientes para poder estudiar, porque siempre se está actualizando. Una tarde de ésas es para ella sola, para leer, y la otra tarde libre se encuentra con un grupo de psicólogos para discutir. En fin, que parar no para nunca.

—¿Y el hijo?

—El chico no es fácil, parece que todavía no sabe lo que quiere, allá estudia artes gráficas. Acá estudiaba otra cosa. Tiene diecinueve años.

—Me acuerdo cuando el Nene tenía diecinueve años. Era el primer año en la universidad. Se levantaba a las cinco para estudiar. Y yo con él, para cebarle un mate.

—Antes ella, cuando recién llegaron de México, a la noche siempre se quedaba con el chico, cenaban juntos y el chico después quería mirar un poco de televisión y ella no podía salir mucho. Pero ahora el chico no está, ni de noche ni de día. Y lo peor no te lo dije, y es que no quiere venir ni para las vacaciones, allá tiene todos los amigos y vos me entendés. Menos mal que ella tiene todo el día ocupado, porque cuando llegan las ocho de la noche está sola como un perro.

—¿Por qué dicen eso, estar solo como un perro? Porque la mayoría de los perros tiene quien los cuide.

—Estos zapatos no me duelen nada, qué bendición. Y una cosa, Nidia: cuando hables con ella de tu hijo no digas el Nene.

—Es que me sale así. Siempre le hemos dicho Nene.

—Un hombre de más de cincuenta años, decirle Nene...

—Yo creo que tendríamos que haberla llamado, para dar la vuelta con ella.

—No, Nidia, no pares, yo volver atrás no vuelvo.

—Sí, vamos a llamarla, me da lástima a veces. Y a veces me da rabia.

—No, Nidia, yo no vuelvo atrás, es mucho caminar.

—Otro día, entonces. ...Mirá, una noche que haga más calor podríamos tomar una cerveza en aquellas mesitas.

—Pero a la presión no hace bien.

—Siempre hay gente en ese bar, deben ganar una fortuna.

—Es un lugar muy conocido en Río, vienen de lejos a tomar una cerveza ahí, mirando el mar.

—¿Hará mucho frío, si nos sentamos a tomarla hoy?

—Sí, Nidia, no seas tentada. Caminando está agradable pero sentadas quietas nos va a dar frío.

—Qué libertad, esas chicas solas de noche.

—Qué tiempos diferentes.

—Luci, éstas deben ser iguales a las de la Argentina, o peores. No se conforman con unos besitos en el zaguán.

—Y empiezan tan chicas, Nidia. En mi edificio había unas que eran unas criaturas hace pocos años, y de un día para otro ya las vi que se pintaban y salían de noche. Y ya tenían otra cara, de mujeres que sabían todo de la vida. Pero otra vez las volví a ver que iban al colegio, sin pintarse, y eran unas criaturas todavía, pero con una sombra en la mirada, como si ya cargaran con un desengaño.

—Y así van pasando de mano en mano. Pero si al hombre no le importa más que la mujer sea así, ya no hay ningún problema. Pero más lindo era antes.

—No sé, Nidia, si tenías la suerte que te tocase un marido bueno, ahí sí. Es todo cuestión de suerte.

—Cada vez estoy más convencida de eso. Los méritos no sirven para nada. Mirá ésa, qué carita más linda.

—Un ángel, ¿verdad?

—El chico es precioso también.

—Qué juventud hay en esta ciudad, Nidia, es de quedarse con la boca abierta.

—Ahí se suben al auto, mirá, Luci.

—Con ese fuego adentro, de la juventud, y sin el freno de la madre, ¿quién la sujeta a esa chica?

—Me dan ganas de ir yo y hablarle, Luci. Una chica que tiene todo, y se está arriesgando a mañana mismo empezar a penar como la más desgraciada. Es muy terrible encariñarse con alguien y después perderlo. ¿Qué sabe esa pobre chica lo que es capaz de reservarle la vida?

—A la vuelta de cualquier esquina, Nidia, como decían las viejas de antes.

—De chicas nos reíamos de esas cosas, pero ahora sabemos que es verdad.

—Quién sabe para dónde van. Ya aunque quisieras... no la podrías parar, ya no te oiría más. Ojalá que sea una cosa así sin importancia, no de amor verdadero. Porque por moderna que sea la mujer es siempre más tonta que el hombre, a mí me parece, se encariña más fácil. Y una vez encariñada ya está lista, si lo pierde le va a costar sus buenas lágrimas. Aunque si es tan jovencita tendrá a los padres, y la vida por delante para tratar de olvidarse.

—Y tantos otros muchachos. En fin, que tenga suerte.

—¿Pero viste a la velocidad que arrancaron? Qué locura, qué manera de andar ligero.

—¿Hacía mucho que no se le presentaba otro candidato a tu vecina?

—Por eso ella sintió vergüenza y para hacerse la interesante le dijo que salía con los dos candidatos de antes. Yo los conozco, uno era un argentino representante de unos productos químicos, que vive acá, pero viaja mucho por el interior. Es divorciado, con toda la familia en Buenos Aires, pero ella dice que se hartó, porque es un hombre muy superficial que no tiene conversación para nada. Y no lo quiso ver más.

—¿Y el otro?

—Vos te vas a escandalizar.

—Depende. Sos vos la que siempre se escandaliza.

—Hace ya mucho tiempo, cuando ella recién llegó a Río de Janeiro, se metía en el mar a nadar, acá en la playa de Leblon, sin saber lo peligroso que era. Un día estaba nadando y una corriente traicionera la llevó y un muchachón que estaba por ahí la ayudó a volver a la orilla, porque sola no podía. Era uno de esos surfistas que andan por ahí, pero ya de unos veintiocho o treinta años. Eso fue hace unos años, ella tenía más o menos cuarenta, es decir que sí, él era mucho más joven.

—¿Y se encaprichó por ése también?

—No, todo lo contrario. El muchacho era un poco alma perdida, y en realidad el náufrago era él en este caso, y la tabla de salvación ella. Bueno, yo en esa época no la conocía mucho, así que no seguí de cerca la cosa. Ella un poco lo ayudó, le hizo terapia y no le cobró, para de algún modo devolverle el favor, pero dice que no daba resultado nada porque el muchacho quería otro tipo de relación y eso en estos tratamientos parece que es fatal. Además le daba vergüenza por el hijo.

—¿Pero tuvieron amores o no?

—No, él insistió mucho pero ella no aceptó nunca. La cuestión es que al de ahora, al Ferreira, que se llama Zé, el diminutivo de José, aquella mañana ella le dijo que seguía saliendo con esos dos hombres, para no dar la impresión de un trasto arrumbado.

—Pero en realidad no los ve más. O eso dice ella.

—Ojalá los viese, así no estaría tan sola.

—...

—Nidia, ¿no supiste nada si mejoró Luisita Brenna?

—No, qué se va a mejorar.

—En las cartas nunca me contestabas a eso. ¿La llamaste de mi parte?

—Ay, Luci.

—¿Qué pasa?

—No me animaba a decírtelo.

—No, Nidia... no me lo digas.

—Ya hace casi un año.

—Era la última compañera de la facultad que me quedaba, de todas aquellas chicas.

—¿De veras?

—Sí, han ido desfilando todas.

—Es que pocas llegan a los ochenta, tenemos que estar agradecidas de haber llegado a esta edad, ¿o no?

—Yo la acompañaba a la salida de una clase que terminaba ya de noche, a pasar por el bar de Talcahuano y Tucumán, que siempre estaba ahí sentado un muchacho que la enloquecía. Con buen tiempo las mesitas quedaban en la vereda, pero con el frío, y frente al descampado de la plaza Lavalle, inmensa, se veían nada más que las mesas pegadas a la ventana, y las caras detrás del vidrio bastante empañado. Y nunca al final pasó nada, el muchacho la miraba y la miraba, a mí jamás, pero nunca la habló. Y años después se casó con una riquísima de la provincia. Y la pobre Luisita perdió años esperándolo, hasta que se le presentó aquel otro con que se casó. Ay, Nidia, ahora me corrió a mí el escalofrío, me acordé como si fuera ayer de ese bar, y esos muchachos bien engominados. Estarán todos muertos también ellos. Pero yo los estoy viendo tal cual, muy lindos algunos, porque había dos tipos, ¿te acordás? Los engominados y los otros, los tipo bohemio, con el pelo largo y sin gomina, con raya al medio. Cada uno con su encanto particular.

—Pálidos, muy distintos a los de acá.

—A veces el vidrio estaba tan empañado que no se alcanzaba a ver nada, y daban ganas de acercarse y frotar el vidrio para ver mejor. Pero nunca nos animamos a tanto.

—Está siempre ese bar de Talcahuano y Tucumán.

—Y el palabrerío era lo mejor. No había uno que no supiese alguna poesía de memoria, y en algún momento te la decía. Claro que por ahí había alguno que escribía él mismo lo que te recitaba, y era una cataplasma. Pero si se conformaban con las clásicas todo andaba mejor.

—¿Te acordás de alguna de esas?

—«¡*Calla, calla, princesa* —dice el hada madrina—, *en caballo con alas, hacia acá se encamina...*» ¿Cómo seguía? Algo del feliz caballero que te adora sin verte... y no me acuerdo más, Nidia. Esperá un poco, que me va a venir a la mente. Esperá... «*el feliz caba-*

llero que te adora sin verte, y que llega de lejos, vencedor de la Muerte, a encenderte los labios con un beso de amor!»

—Acordate más. Es la poesía de la princesita, ¿verdad?

—Famosísima.

—Hacé memoria.

—«*¡Ay! La pobre princesa de la boca de rosa quiere ser golondrina, quiere ser mariposa...*» y no me acuerdo cómo sigue, Nidia. Esperá... «*...Y están tristes las flores por la flor de la corte; los jazmines de Oriente...*» ¡Ay, no me acuerdo!

—Yo no me acordaría ni una palabra.

—«*...de Occidente las dalias y las rosas del Sur. ¡Pobrecita princesa de los ojos azules! Está presa en sus oros, está presa en sus tules, en la jaula de mármol del palacio real...*» Y no sé más cómo sigue...

—Hacé memoria, Luci.

—«*¡Quién volara a la tierra donde un príncipe existe (La princesa está pálida. La princesa está triste) más brillante que el alba, más hermoso que abril! —¡Calla, calla, princesa —dice el hada madrina—, en caballo con alas, hacia acá se encamina»,* y ahí me pierdo de nuevo.

—«*Calla, calla, princesa, dice el hada madrina»...,* ¿y qué más?

—«*Calla, calla, princesa, dice el hada madrina... dice el hada madrina...»*

—Sí, Luci.

—Ay, ¿cómo era? Si ya lo dije...

—Algo del caballo...

—Sí, el caballo con alas..., ¿cómo es que sigue?, «*el feliz caballero que te adora sin verte, y que llega de lejos, vencedor de la Muerte, a encenderte los labios con un beso de amor!»*

—Ay, Luci, ni que hubieses sido bruja. Eso mismo me recitaba alguien, pero no me acuerdo más la cara. ¡Pero sí patente la voz! Ay, Luci, es como si la estuviese oyendo ahora, ¡pero la cara no me acuerdo ni remotamente! Fuiste una bruja al acordarte justo de esa poesía.

—Es que era la más conocida de aquella época, la «Sonatina» de Rubén Darío.

—Luci, esperá, quiero sostenerme un poco, contra esta palmera.

—¿Qué tenés.

—Se me aflojaron un poco las piernas. Pero ya pasa.

—Nidia..., ¿te sentís mal?

—Si pudiera acordarme de la cara del muchacho, qué gusto me daría. Y de la mirada.

—Por lo menos de la voz ya te acordaste.

—Me parece que a esa voz no la escuché más, ni me la acordé más, en todo este tiempo que pasó. ¿Habrá sido por el año veinticinco?

—Más o menos.

—Entonces pasaron como setenta años.

—¡Nidia, vos estás senil! Por favor no agregues más años que ya son suficientes, del veinticinco al ochenta y siete van sesenta y dos.

—Casi lo mismo, no es tanta la diferencia, por eso no me tenés que decir senil. A veces sos muy chocante, Luci.

—¿Cómo era la voz?

—¿Qué voz?

—La del muchacho que te recitaba la «Sonatina».

—No, no era como la voz del de la vecina.

—¿Qué tiene que ver una cosa con la otra?

—Era una voz de muchacho joven, muy soñador.

85

Pero que sueña con cosas lindas nomás. Que espera lo mejor de la vida.

—...

—Luci, contame lo de la isla.

—¿De mi viaje?

—No, de cuando fueron ellos dos. Contame todo.

—Ya me están doliendo los pies. Volvamos a casa que me saco los zapatos y te cuento todo.

Capítulo seis

—Ahora sí que tendrás los pies doloridos.

—Son bravas esas escaleras, para hacerlas dos veces seguidas. Pero ya me aseguré la lectura para esta noche.

—Déjame ver qué es.

—Es la biografía de Vivien Leigh. Ya te lo dije. Pero está en portugués, si no te la podrías leer vos también.

—¿Y no tenías nada más para leer esta noche?

—Es que hace rato que estaba esperando que ella lo terminase para traérmelo prestado. Me mandó de vuelta volando por si sonaba el teléfono. No sonó, ¿verdad?

—...

—¿Sonó?

—No.

—¿Por qué tardás en contestarme? Ella está loca por este asunto, por eso mandó al guardián.

—Allá en Buenos Aires cuando se te descompone el teléfono no te lo arreglan en meses.

—Ay, ahora sí que me duelen los pies. Encima de la caminata esta subida de escaleras.

—Pero no había necesidad de hacerte subir a vos, si el teléfono estaba descompuesto no la podía llamar el tipo, ¿qué perdía con bajar ella hasta acá?

—No, ella le pidió al guardián que cuando nos viera pasar de vuelta le avisara a ella, pero el chico

87

entendió mal y nos dijo a nosotras que subiésemos.

—¿El hombre ya llamó acá alguna vez?

—No, pero ella le dio el teléfono mío. Por eso ahora tiene la esperanza de que si no puede comunicarse con ella directamente, va a llamar acá.

—Está loca esa mujer.

—Son cosas del amor, Nidia. Ni más ni menos.

—Pobre, la verdad es que ya me está dando lástima.

—Ay, cómo me duele. No debí subir la segunda vez.

—Podrías haber esperado hasta mañana el bendito libro.

—Me lo agarré ni bien subí la primera vez, no sé por qué después lo solté. Fue ella que me comunicó el nerviosismo, quería que volviese en seguida para acá, por si sonaba el teléfono.

—Luci, el teléfono sonó.

—¿Cuándo?

—Ahora, cuando subiste la segunda vez, a buscar el libro.

—¿Y quién era?

—Cuando llegué al teléfono dejó de sonar.

—¿Tardaste mucho en atender?

—No.

—¿Estás segura?

—Sí. Y ahora no agarres el libro porque habíamos quedado en que me contabas todo de la isla.

—El Ñato no pudo haber sido, él deja el teléfono sonar mucho rato.

—Además, Luci, a esta hora en Suiza son como las tres de la mañana.

—Me duele la columna, Nidia.

—Vos contá, que yo pongo el agua para la camomila.

—Se llega con un lanchón que sale todas las mañanas de un puerto de mala muerte, a dos horas de auto de acá. Hay esa sola salida por día. El congreso era de psicólogos de no sé qué, un congreso de... ay, algo como psicología de las masas. Una cosa de izquierda, claro. Sin subvención de ningún gobierno. Él se había negado rotundamente, pero a último momento aceptó. Cada participante pagaba su propio cuarto, entonces fue ahí que a ella se le ocurrió la idea, ¿acaso no costaba lo mismo, o casi, una pieza para uno que para dos? Y en cuanto a la comida lo engañó a él. Ella le dijo que era un buffet abierto, para los participantes y sus convidados. Mentira, ella pagó aparte lo de él.

—Tengo el pálpito de que nunca me vas a acompañar a esa isla.

—En esta vida nunca se sabe.

—Contame, Luci, yo cierro los ojos y hago de cuenta que estoy viajando. Empezá de nuevo.

—Hay que salir de Río a la tarde, y después de dos horas de carretera se llega a ese puerto chiquito, de libro de aventuras. Porque hay marineros viejos con cicatrices, alguno que le falta un brazo, o una pierna. Y chicos descalzos, con un loro paradito en el hombro del chico, pero todo pacífico. Y se hace de noche muy temprano en el trópico, y ahí hay pocas luces, unos hotelitos de tipo familiar, impecables de limpios, y a una cuadra, muy escondida por las plantas, una especie de taberna donde no falta nada, hasta mujeres que se van desnudando si alguien paga, nos contaron, con música fea de rock, era lo que se oía de noche, a lo lejos, no linda música de samba. El pueblito es muy misterioso porque se llega ya de noche, o casi, y no se alcanza a ver mucho, alguna lámpara de kerosén en los boliches. Y a la mañana sale tan temprano el barco que no da tiempo para ver nada. Nosotras llegamos en el auto de ella a la nochecita, pero cuando ella fue con el tipo todos los del congreso salieron en dos micrachos grandes a la madrugada desde Río. Algunos con acompañantes, que venían de todas partes del mundo. Eran más de cuarenta personas que intervenían, y agregale los demás. Él hasta último momento había dicho que no, porque tenía que hacer, y las deudas que pagar, pero ella le tenía un argumento muy poderoso, que si se tomaba unos día de descanso después iba a poder arremeter con más fuerza en su trabajo, y por eso una vacación gratis era cosa de locos rechazar. La versión que ella le dio era que cada convidado tenía derecho a llevar a un acompañante, todo incluido en el precio del evento, como dice ella. Porque era un congreso independiente.

—Ya me lo dijiste.

—Financiado por los propios psicólogos.

—Que para eso cobran bastante la consulta.

—Entonces, esa mañana a las seis, todavía estaba oscuro cuando iban a salir los micros. Ella no quiso presionarlo demasiado y no le dijo que mejor se quedase a dormir en la casa de ella, para evitar algún problema de retrasos, el reloj despertador que no suena, algo por el estilo. Pero pagó caro la delicadeza, porque fue ella que no pegó un ojo en toda la noche, de miedo de que él no se despertase a tiempo. Tomó un taxi hasta el lugar de salida, en el hotel Marina Palace. Y ahí estaba él, medio escondido detrás de los participantes y conversando con el portero del hotel, porque no se animaba a hablar con nadie más. Ella no podía creer lo que veía, ahí estaba, rendido, por lo menos por los siete días del congreso. Esta Silvia llevaba una valija mediana, y él dos, una llena de papeles para adelantar trabajo de contabilidad. Ahí ella lo empezó a presentar a los demás, la mayoría hablaba español, y ahí se quedó pasmada, porque él hablaba casi perfecto en el idioma nuestro, y a ella nunca le había dicho una palabra que no fuera portugués. Esa cosa de la gente de acá, que tienen gran facilidad para los idiomas. Ella estaba con la boca abierta, no podía creer que él nunca había tomado una clase, y se lo hizo jurar. Bueno, hubo atrasos por culpa de gente desconsiderada que se apareció tarde y los dos micrachos llegaron apenas a tiempo a aquel puerto para tomar el lanchón del día, que es el único. Y después de esa hora y pico en el mar serenito empezaron a vislumbrar la isla.

—Sin que nadie se descompusiera.

—Nadie. Cuando yo tomé el barco en ese muelle no podía abrir los ojos del resplandor, con anteojos negros y todo, pero adentrándonos en el mar me los pude sacar. Es que la luz no hería más los ojos, era limpia sin ese amarillo que irrita la vista.

—A mí el amarillo no me irrita la vista, ¿qué estás diciendo?

—No me gusta el amarillo. Los viejos pueden ser lindos si se mantienen rosaditos o blancos, pero amarillos parecen a punto de morirse. Y los viejos de raza negra nunca dan lástima como nosotros. A no ser que el blanco del ojo se les vuelva amarillo, porque ahí ya está perdida esa raza también.

—Contame del viaje de ellos dos, después si querés me contás del tuyo.

—Si estás en la proa se empiezan a divisar palmeras y palmeras de un verde muy claro, pero nunca llegando a amarillo, mientras que el agua es verde también, pero tirando a azul. Y la arena a veces blanca y a veces de veras dorada. Y el cielo celeste puro, sin el gris de alguna nube, ni algún resplandor ambarino, porque eso rayaría ya en el amarillo, ¿no? Y los dos hoteles son blancos pintados a la cal, y cada cual corrió a su pieza a cerrar las persianas y descansar porque todos se habían levantado por lo menos a las cuatro y media, o cinco de la mañana. Pero él no la dejó dormir en seguida, ¿me entendés?, y cuando la soltó ya faltaba poco para la hora del almuerzo, y ella tuvo que presentarse en el comedor sin descansar nada, ni un minuto. Por suerte era todo muy informal, en un patio cubierto habían puesto a un mozo a cargo del buffet, frío y caliente, y cada uno se acercaba y se servía lo que quería, y había varias mesas grandes reservadas, y cada uno se sentaba donde quería. En cambio, cuando yo fui con ella había que esperar mucho la comida, porque no había buffet, que es el invento del siglo. Y el resto de ese día de llegada era libre, y él estaba deseando terminar de almorzar para ir y acercarse a unas lanchas camaroneras que estaban amarradas por ahí cerca, sin un alma alrededor, porque los pescadores duermen hasta las cuatro de la tarde. Y ahí ella ya no daba más de cansada y no lo quiso acompañar. El había divisado esas lanchas ni bien atracaron, y se fue feliz de la vida, a ver si ya había aparecido alguno de los dueños. Por primera vez ella lo vio así, transformado.

—¿Transformado cómo?

—Lleno de entusiasmo, y soltándosele un poco de la mano. Porque hasta entonces estaba prendido de las polleras de ella, como un chico un poco tímido que se esconde de los mayores.

—¿Y lo dejó ir solo? Eso a ella no se lo creo.

—¿Qué? Ella encantada se fue a hacer una siesta, ni café quiso tomar después del almuerzo para que no la desvelase. De lo que había tenido verdadero pavor era de que él se aburriese mientras ella atendía a todo lo del congreso. Esta Silvia notó que a él se le saltó el corazón del pecho cuando al desembarcar descubrió esas lanchas, pero no fue hasta el almuerzo que él le sacó el tema. Estaban haciendo una cola de pocas personas para servirse del buffet cuando él le pidió que se sentasen solos, que le quería contar una cosa. Entonces se eligieron una mesa bien al fondo y ahí se enteró de que él cuando jovencito había tenido la locura de la navegación a vela, que acá en Río es bastante común, pero entre gente de cierto dinero. Y parece ser que la familia de él había tenido un buen pasar, y a él de chico le daban todos los gustos, como por ejemplo ser socio de un club de veleros. Cosa de unos treinta años atrás, cuando este país era tan rico. Y ahí le contó más, que hubo una época en que él se fue de la casa porque quería otra vida, bien a la intemperie, esa fiebre de aventuras que les da a los jóvenes. Le dio un arranque y desapareció, se puso a trabajar en lo que le gustaba de veras, en un barco pesquero. No estaba de último peón, no. El barco era del padre de uno que siempre salía con él en bote de vela, toda gente ya más acomodada. Y él fue un poco como administrador, para fiscalizar un poco el rendimiento de cada día, pero le gustaba el trabajo más bruto, y se metía con los pescadores a echar redes y traerlas de vuelta, bien llenas de camarones. Salían con el barco a la tardecita y estaban en mar abierto toda la noche. Un poco antes del amanecer empezaban a recoger las redes y a las ocho de la mañana ya estaban llegando de vuelta a tierra firme, pesaban la carga y ahí por fin se podían ir a dormir, una jornada de trabajo muy larga. El barco no zarpaba de Río, sino de una bahía que hay bastante alejada. Y él por eso pasó meses sin venir para acá. Hasta que la novia lo fue a buscar un día.

—Ya tenía novia, entonces no era tan chico. ¿Pero él se quiso escapar de los padres o de la novia?

—Yo creo que de los dos. Pero el lío de la desaparición no lo sé con detalles. Esta Silvia siempre dice lo mismo, que él se había puesto de novio en serio demasiado pronto, y a los padres no les gustó.

—¿No les gustó la chica?

—No, el hecho de que formalizase tan jovencito, antes de recibirse. Y esta Silvia dice que ahí, cuando hubo la fricción con la familia, él aprovechó y se fue y cortó con la novia también. Si la hubiese querido tanto no se habría ido de pescador, ¿no te parece? Pero ella se le apareció un buen día, lo fue a buscar. Y decidieron casarse, y él entonces se volvió acá a Río y empezó a llevar contabilidad a particulares, y nunca terminó los estudios de economía ni volvió a pescar. Pobre muchacho, ¿verdad?

—Verdaderamente. Siempre se le aparece alguna que lo hace hacer lo que ella quiere.

—Pero en la isla estaba feliz de nuevo. Las barcas ésas no tenían todavía cuidador, cuando él se apareció después de almorzar, y ahí no se aguantó y subió en una y en otra, para inspeccionar todos los detalles. Nunca más se había subido en un bicho de ésos, eran como unos veinte años, pienso yo, que se había alejado de esas cosas. Le vino una cosa rara, cuando volvió a sentir ese olor a salmuera, y a comida de lancha. Es que cuando trabajaba de joven más o menos a medianoche les venía un hambre terrible en alta mar...

—No exageres, eso no puede ser alta mar, se quedarían siempre rondando la costa.

—Mar abierto entonces. Yo para darte una idea. Bueno, unas cuantas horas después de alejarse del embarcadero ya les venía un hambre bárbaro, y uno de ellos asaba camarones a las brasas, y abrían latas de cerveza helada, o si el tiempo era frío se tragaban tazones de café negro hirviendo. Y ese olor queda impregnado en la madera del barco, del café en grano que tostaban ahí mismo y de la pulpa jugosa del camarón que se iba poniendo crocantita.

—Mañana haceme camarones asados, sé buena.

—Están carísimos.

—Yo los compro, seguí.

—Por suerte el vaho pesado de la cerveza me imagino que el viento se lo lleva. Y de repente a él todo eso le volvió a la memoria, era como estar de nuevo pisando el lanchón de su primera juventud, no había pasado el tiempo, ahí estaba él todavía lleno de salud, había echado un poco de panza pero la salud estaba todavía ahí, la juventud se había ido pero la salud no, ¿entonces qué importaban unas cuantas canas y los surcos de la frente?

—¿Y ella se pudo dormir?

—¡Claro que sí! Cayó como una piedra, y fue él que la despertó a eso de las seis, todo agitado. Es que había estado hablando con unos de las lanchas y lo invitaban a salir ya, mar adentro. O rondando la costa, no me mires así, que no estoy exagerando nada.

—¿Para volver a la mañana siguiente? ¡No te creo! ¿La dejaba sola la primera noche?

—Y ella feliz de la vida, era él que no estaba muy decidido, yo creo que por temor a ofenderla, pero ella insistió que sí, que él tenía que ir. Lo único que quería era tomar antes un té, algo así, con él, porque había algunas cosas que le quería preguntar, si quería salir en excursión a otras islas con otros de ahí, que no participaban, que eran acompañantes. Es que ella no se había animado a hablarle de eso antes. ¿Pero qué pasaba? Si él se quedaba a tomar ese té perdía la salida del pesquero, y entonces ella encantada lo empujó a que fuera, corriendo, al embarcadero, pero que se llevase un poco de abrigo.

—Ella se lo quería conquistar a cualquier precio.

—No entendés, ella no es una persona absorbente,

es muy comprensiva. Además a ella su trabajo le encanta, y ya en ese primer almuerzo él no la había dejado hablar con nadie, así que a la noche iba a estar libre para entablar relaciones con el grupo.

—Y esa mañana al llegar ya había conseguido lo que quería más que nada.

—¿Que era qué?

—Lo que más le interesaba era el asunto de la cama, y una vez que lo consiguió ya no le importó más que él se le alejara. Pero no, vos tenés razón, otra en el lugar de ella lo habría querido tener amarrado al yugo.

—¡Por supuesto! Bueno, la cuestión es que él se fue volando, una de las barcazas ya había zarpado, pero la otra estaba todavía ahí. Él no le hizo caso a ella y se fue sin abrigo, por no buscarlo en la valija, no había tiempo de nada. Ya estaba anocheciendo y el capitán una vez fuera de la bahía sacó unas latas de cerveza para agasajar al convidado, y él ya estaba ansioso de que pasaran las horas y llegase el momento de devorarse un platón de camarones a las brasas.

—Pobre, por eso es gordito. Es de esos que tienen ese apetitazo, como yo.

—Pero antes de llenarse el buche se iba a llenar de lo principal, ¡del aire puro del mar! Los pulmones repletos de ese aire. Él ahí en esa barcaza era todo pulmón, no le hacía falta para nada la cabeza, porque no tenía que pensar en aquellos números y cálculos de la maldita impositiva. Puro pulmón y nada más, el ventacho del mar lo llenaba de empuje, como esos veleros que van desplegados a más no poder, porque se entienden bien con el viento, y avanzan regios. A él no le importaba que se le viniese encima el huracán más bravo.

—Los hombres son así la mayoría, ¿o no?

—¿Qué querés decir?

—Lo que quieren es estar libres y sin ataduras. Ojalá Ignacio sea así también.

—Sí, yo creo que la mayoría es así.

—Yo creo que Ignacio no se va a meter con la primera que se le cruce.

—Si le toma el gusto a la libertad, no. Éste a ella le decía que le gustaba tanto sentir el viento en la cara. En sus adentros él tendría la pretensión de compararse con el viento, pienso yo.

—No creo, yo me lo imagino más bien apocado.

—Por eso mismo, su otro yo. Libre como el viento, y completamente irresponsable, que va arrasando con todo y no se da vuelta para ver los destrozos.

—A nosotras no nos da por ahí, ¿verdad, Luci?

—¿No qué?

—El viento no nos gusta. A las mujeres. Nos despeina, o trae polvo a la casa, y las ventanas se empiezan a golpear.

—Ahora la moda es decir que las mujeres habríamos nacido así también, baguales como ellos, pero que la educación nos cambió. Pero para saber a ciencia cierta si eso es verdad habría que nacer de nuevo. ¿Vos que pensás?

—A todo esto, dijiste que había cosas muy picantes que me iban a escandalizar. Yo estoy esperando y todavía de picante no hubo nada.

—Ya vas a ver. Y esa noche ella estuvo contentísima con la gente del congreso, pudo concentrarse en todo eso y quedaron todos de tertulia hasta muy tarde, un grupo muy armonioso. Todos muy dentro de la misma corriente.

—Y claro, si eran todos medio comunistas no tenían motivo para pelearse.

—Sí, pero a veces hay algunos más fanáticos que otros. La cuestión es que ella se fue a dormir tarde y se despertó a las siete de la mañana por el reflejo del sol, que todavía no había aprendido a cerrar las celosías como debía. Y él todavía no había llegado. Ella ahí saltó de la cama sin perder un instante, porque si él le daba tiempo se podía arreglar un poco, ante todo lavarse los dientes, y echarse bastante agua fría en los ojos para desinchar los párpados, que después de los cuarenta son siempre la piedra del escándalo.

—Por tu tono de voz ya me imagino lo que se viene. A ver si adivino: tuvo tiempo de maquillarse con toda prolijidad, y él seguía sin llegar.

—Adivinaste. Le empezó a venir languidez de estómago porque ya llevaba más de una hora levantada y sin desayunarse. Entonces pidió que le trajeran algo a la cama. Pero le contestaron que no tenían servicio en las piezas. Y le vino la idea terrible de que podía haber sucedido algo en alta mar. Porque después de todo esos barquitos son bastante rudimentarios.

—Eso de alta mar te lo decía ella, claro.

—Sí, Nidia.

—Se ve que en tu casa a nadie se le dio por la pesca. Eso no se dice nunca, en alta mar andan los barcos grandes, los transatlánticos. Apréndelo de una vez.

—Ya me lo has dicho mil veces. Bueno, ella es así, le trabaja la imaginación y se da cuerda en seguida, se preocupa sin razón. Y fue a desayunarse al comedor, y ya había alguno del grupo. Y eran más de las ocho, y a las nueve empezaban las sesiones. Y por suerte se distrajo un poco hablando con los colegas. Ah, me olvidaba, a quien encontró esa mañana sola desayunándose fue a una psicóloga portuguesa, que viajaba sola. Y ese día también almorzaron juntas, porque las dos estaban solas. Y se distrajo ese rato crítico, y el café también la habrá reanimado un poco.

—Eso sobre todo.

—Y ya serían como las nueve menos cuarto cuando alguien le palmeó la espalda y era él, bastante sucio y barbudo. No quería desayunarse porque los pescadores no toman café a la mañana, a esa hora se van a dormir, y se levantan a eso de las tres o cuatro de la tarde. Todos lo miraban, porque tenía una pinta bastante rara, comparado con los otros recién bañados y afeitados. Ella empezó a explicar todo a los que estaban en la mesa, pero él la cortó y le pidió que fueran un momento a la pieza. Es que estaba muerto de cansado y feliz de la vida, y le quería pedir disculpas por no haber llegado antes. Y le pedía a ella por favor que lo despertase a mediodía para almorzar juntos, porque tenía algo que consultarle. Y ella por las vueltas que daba él, como alguien que se quiere disculpar de algo, adivinó lo que se avecinaba, y era lo que vos ya te imaginarás.

—No sé.

—Algo bastante egoísta. Adiviná.

—Me doy por vencida.

—Es que quería salir con los pescadores esa noche de nuevo.

—Esa tarde querrás decir, peor todavía. Sin cenar juntos ni nada.

—Así es. Y ella le dijo que no se preocupara, que durmiera hasta las cuatro, para entonces ella tenía una hora de pausa. Y él no, que lo despertara a mediodía. Pero ella se dio cuenta que era por educación que él se lo decía. Y le dio un beso y se fue a la primera sesión de la mañana. No se pudo concentrar en nada, estaba muy acelerada, la cabeza le trabajaba a una velocidad terrible, pero así en redondo, en círculo vicioso, tratando de entender qué era lo que estaba pasando. Por un lado le alegraba que él tuviese algo que hacer, que no se aburriese, pero por el otro lado se sentía como atropellada por las cosas. En el fondo lo que no le gustó, pienso yo, fue descubrir que él era un desconocido para ella, y que le estaba apostando demasiado a algo que podía resultarle cualquier porquería.

—La única vez en mi vida que fui al hipódromo se me ocurrió apostarle a un caballo porque me gustó el nombre. Y claro, perdió. Yo no sabía nada si corría ligero o no.

—Cómo me gustaría que te acordases qué nombre tenía.

—Claro que me acuerdo, era «Don Clemente», como mi suegro, que era el hombre más bueno del mundo.

—Papá era bueno también, Nidia. Lástima que se murió tan joven, ¿alguna vez pensaste lo diferente que hubiese sido todo si él no se moría tan joven?

—Y tu marido igual, no se murió joven pero peor todavía, pobre Alberto. Lo que le fue a pasar...

—No hay que pensar en esas cosas, Nidia. Viniste a Río para olvidarte de todo lo triste. Y no me hagas acordar a mí. Ella ahí tuvo un bajón muy grande, hasta ahí todo iba tan bien, pero el hombre se le estaba escapando otra vez, como agua entre los dedos. A medida que avanzaba la sesión se fue hundiendo más y más, realmente los cálculos le habían salido mal, porque estaba ahí desaprovechando una oportunidad de trabajo muy interesante, no se concentraba en nada, y lo mismo con él no definía nada. Ahí le vino un desánimo bárbaro y terminada la sesión a mediodía fue a la pieza a buscar unos papeles para la sesión de las tres, donde tenía que intervenir forzosamente. Pero entró en puntas de pie para no despertarlo. Estaba decidida a no tratar más de forzar el destino. Tanto que había soñado con esos días en la isla, o mejor dicho con esas noches: las caminatas con él a la luz de la luna por la playa desierta, y las charlas interminables, ahí en esas noches tan largas de la isla, sin luz eléctrica, con tiempo para preguntarle de todo. Ella ahí me confesó una cosa, y es que sufre de lo que se dice deformación profesional. Resulta que a los pacientes les sabe todo, hasta el último secreto, y con él quería que sucediese lo mismo. Estaba sedienta de saber todo, hasta el último recuerdo que él cargaba en la memoria. Todo del pasado y todo del presente. Para así ella poderle regalar un futuro perfecto, con todas sus posibles necesidades bien atendidas. Pero no sabía qué necesidades eran ésas, o peor todavía, lo que él necesitaba era subirse a una lancha pesquera y no volver más. ¿Y si ella se subía también a la lancha? Ella iba a molestar en ese mundo de hombres, ¿o no? Además ella tenía su vida, su tarea en Río, ¿era tan imposible encontrar un hombre razonable con quien encontrarse al final de una jornada de trabajo y compartir unas horas como gente civilizada? Entró en la pieza y en total silencio sacó las hojas. Pero habrá sido vaya a saber por qué, él se despertó, como si la hubiese olido. Y es posible, porque ella usa siempre el mismo extracto francés, ni bien se van los pacientes se baña y se pone su extracto. En eso somos tan iguales, una vez que me baño y me cambio a la tarde no me siento vestida del todo si no me pongo una gota de esencia. Ella ahí se disculpó de haberlo despertado sin querer, y él lo contrario, la retó por no haberlo llamado. Él tenía una cara de dormido terrible, y se levantó.

—¿Estaba vestido?

—No me lo dijo.

—Al llegar de toda la noche pescando se habrá bañado.

—Entonces estaría sin ropa, Nidia.

—¿No te dio ningún detalle?

—No me acuerdo.

—¿No se había afeitado todavía?

—No me lo dijo, porque ése fue un momento tan importante por otras cosas que se ve que a ella se le olvidaron los detalles. Es que él le pidió que se acercara a la cama y se sentara al lado de él.

—Entonces él estaría tapado con la sábana.

—Seguramente. Ella se sentó y él le pidió que le diera la mano, no, las dos manos, y él se las agarró, las dos manos, y le dijo que nunca en la vida podría agradecerle lo que había hecho por él. Porque de veras él había creído que nunca más iba a sentir una alegría en su vida, él había estado convencido, hasta ese día antes, que nunca más iba a sentir esa necesidad de agradecerle a Dios de estar vivo, como había sentido esa madrugada en alta mar, perdoname la expresión, en mar abierto, al ver los primeros rayos del día.

—Así que el mar, o la pesca mejor dicho, le había dado esa alegría. No ella.

—Pero ella no lo interpretó así, no, ella se sintió inundada de una emoción tan grande que le dio un beso en la frente y salió volando al patio. No pudo aguantar las ganas de llorar y buscó un rincón del jardín para que no lo vieran. Se sentía tan satisfecha de haberlo hecho así de feliz, que le venía a borbotones el llanto, le sacudía el pecho.

—¿Era un llanto de alegría?

—Claro.

—No creo, Luci. Ella lo habrá interpretado así, pero no era por eso que lloraba.

—¿Vos vas a saber mejor que ella?

—Lloraba porque cualquier cosa que él decía la impresionaba, pero en el fondo era feo lo que había pasado. Lloraba porque se dio cuenta que no era ella lo más importante para él, y basta. ¿Para qué darle tantas vueltas a las cosas? En estos asuntos de amores alguien te gusta o no te gusta, te conquista o no.

El porqué... vaya a saber, pero los resultados son bien claros, si no llamás a alguien por teléfono es porque no lo querés ver, y chau.

—Vos esperá un poco más. Ella dejó que se le pasara el llanto y a la fuerza tuvo que volver a la pieza porque se había olvidado las hojas, y ya era casi hora de almorzar. Entró otra vez en puntas de pie, pero él estaba despierto, acicalándose en el baño.

—Afeitándose.

—Seguramente. Y ahí vino un interludio romántico, por parte de él, no sé si me entendés.

—No.

—Bueno, él le empezó a recorrer el cuerpo, con la boca, ¿entendés?, pero ella se soltó porque tenía que estar ya presente en el almuerzo, ahí iban a definir la primera sesión de la tarde, de tres a cuatro y media, donde ella intervenía. Entonces él le preguntó si a las cuatro y media quedaba libre, porque la lancha salía a las cinco y media. Sí que quedaba libre, la otra sesión era de seis a siete y media. Entonces se despidieron hasta más tarde, y él le rogó que lo despertase si se quedaba dormido, porque él no iba a almorzar, lo que quería era seguir durmiendo.

—Se había acostado a las nueve, más ocho horas de sueño, nueve y ocho diecisiete, así que estaba con miedo de perder la lancha de las cinco y media.

—Y también tendría ganas de estar con ella.

—Menos una cosa que la otra.

—Sigo. Ella en el almuerzo ya estuvo mucho mejor, se pudo concentrar en la discusión y después la sesión empezó muy bien. Eran tres exposiciones de veinte minutos cada una, seguidas de media hora de discusión. Ella habló y lo que dijo interesó mucho a todos. Pero el tercero en hablar, un venezolano, iba ya en treinticinco minutos en vez de veinte cuando la presidenta de la mesa lo interrumpió. Ahí esta Silvia se puso a temblar, porque no iba a entrar todo el programa en la hora y media disponible. El venezolano insistió en que tenía que completar su exposición, en cinco minutos más, que fueron quince. Y ahí ya eran las cuatro y media casi. La pobre estaba hecha una pila de nervios, tenía ganas de matar al venezolano, que además no había dicho nada nuevo, y se había dedicado más atacar a un español que había hablado esa mañana, en fin, la cosa iba mal, porque la discusión posterior a las ponencias había que hacerla. Y ella no se animaba a decir que no tenía tiempo, porque la esperaba su candidato en la pieza. Pero la providencia intervino, el encargado del servicio de comedor entró a las cuatro y media en punto y dijo que tenía que preparar las mesas para el café de la tarde, como le dicen ellos, que nosotros diríamos el té. Y hubo una pequeña discusión, pero todo quedó para esa noche después de la cena, los que quisieran presentarse, y ella corrió a la pieza. Pero al pasar frente al barcito, al lado de la recepción lo avistó. Estaba tomándose algo, no me acuerdo qué me dijo, pero café no sería porque en ese barcito no lo sirven, ¿o con el asunto del congreso estaría todo cambiado? Cuando yo estuve café ahí no servían, la cuestión es que él estaba bien afeitado, con toda la ropa recién cambiada. Y se fueron en seguida a la pieza. Detalles de eso no me dio. Y a las cinco y algo él ya se fue para no perder la lancha. Ella lo acompañó hasta el embarcadero. Y esa segunda sesión según ella fue excelente, no hubo nadie que se pasara de la medida porque se hizo un anuncio sobre eso, pidiendo respetar los turnos. Y a la noche cenó con la portuguesa, que le resultó una compañía excelente.

—¿Y dónde está todo lo picante que habías anunciado? Hasta ahora hubo apenas un amago.

—Ya vas a ver. Bueno, ese día fue realmente lindísimo para ella, porque después de tantas vicisitudes todo se había arreglado, él había estado de lo más cariñoso, y además ya te dije, reconciliado con la vida. Y a ella le había ido bien con la exposición de esa tarde, y encima de todo resultó que esa portuguesa era muy grata compañía y desde ese día siempre almorzaron y cenaron juntas.

—¿Eran las únicas dos solteras?

—Me parece que por lo menos eran las únicas no acompañadas, a la noche. Y había algunos hombres solos, de entre los participantes, pero que a la noche lo que hacían era tomar y tomar. Y según ella serían tipos medio acomplejados porque únicamente después de estar bien borrachos se ponían a galantearlas a las dos, imaginate el asco que les daría a ellas. Qué cosa inmunda un hombre en copas.

—¿Cuántos años tenía la portuguesa?

—Si no se murió tendrá más o menos lo mismo que la de al lado, no me especificó. Pero la portuguesa no era divorciada como ella, era soltera. Había tenido algún amor, pero nunca con suerte, y no tenía hijos. Así que la vida la había favorecido más a la de al lado que a la portuguesa, por lo menos ésta lo tiene al hijo. O lo tenía. Bueno, lo importante es que las cosas se organizaron muy bien y muy pronto, llegaron un martes y esa misma tarde y el miércoles, jueves y viernes él salió con los lancheros, el sábado no porque era la única noche de la semana que no pescaban. Y todo perfecto porque el sábado terminaron las sesiones a las cuatro y media, no hicieron esa otra de las seis y pico a las ocho, así que él pudo dormir su siesta tranquilo, ella lo dejó en paz hasta casi de noche. Y ahí lo despertó para cenar juntos en el hotel, y fue recién ahí que él conoció a la portuguesa, y la portuguesa los quería dejar solos, pero ellos insistieron en sentarse juntos. Él estaba muy callado, la que más habló fue la portuguesa, que es fanática de su trabajo y les contó tantas cosas de los psicólogos de Portugal. Pero se avecinaba la hora de la famosa caminata por las playas a la luz de la luna y esta Silvia se empezó a poner tensa. Porque se había olvidado de decirle a la portuguesa de la ilusión que ella tenía con ese paseo. Había soñado tanto con esa caminata de todas las noches, y hasta entonces nada, tenía que aprovechar ese sábado porque él seguramente iba a querer seguir saliendo todas las noches con los pescadores, y el viernes siguiente todo el mundo se volvía para su casa, los del congreso. Pero la portuguesa tuvo mucho tino y cuando se habló del paseo dijo que los dejaba solos. Seguramente tendría ganas de salir con ellos dos, pero se dio cuenta de la situación. Y la parejita salió sola, se fueron caminando alrededor de la isla, y eso yo lo hice con ella, con luna llena, y es lindísimo, se puede dar toda la vuelta a la isla en un poco más de una hora. Y en realidad ésa fue la única vez que estuvieron solos con tiempo de hablar y él le preguntaba todo de las sesiones, y no contó casi nada de él. Un poquito de cuando se fue de casa de los padres, pero al llegar a por qué abandonó a la novia y por qué se volvió a amigar, ahí paró. Ella veía que él estaba feliz, como en otro mundo, y por eso no trató de sacar los temas que más le interesaban, o sea todos los datos, hasta el último detalle, de la vida de él de todos los días, en Río. Aunque sí, para entonces lo que más ella quería saber era por qué la había dejado a la novia, en aquel intervalo de libertad, que tuvo en su vida. Y ya que pediste detalles picantes, ella me contó una intimidad bastante vergonzosa, y era que se había imaginado que en algún momento él podía desvestirla para verla a la luz de la luna, ella se moría de ganas de ver si quedaba mejor, más fresca, más joven, con la piel iluminada por esa famosa luz plateada de la luna. Pero él no intentó nada, y además ella no había calculado una cosa, y es que a la noche se puede levantar una brisa bastante fresca, y lo que da ganas es de irse a la cama y abrigarse bien, después de darse el consabido baño de pies para sacarse la arena. Y al volver al hotel él la convidó con un trago de algo fuerte, porque habían tomado un poco de frío. Yo y ella también tomamos un buen coñac, después de dar esa vuelta. Yo no había querido darla, no por temor a cansarme, sino por ella, para no remover cosas. Pero ella lo que quería era eso, removerlas, y lo consiguió, y ése fue el peor momento de la estadía nuestra, porque realmente le costaba creer en lo que había pasado después. «¿Cómo alguien puede renunciar a la felicidad?», me decía, «¡porque él estaba feliz en esos días! ¡De eso estoy segura!»

—No me mezcles cosas, primero contá todo del viaje de ellos, después del tuyo.

—Y de esa noche no sé nada más. Tomaron esa copa, ella estaba preocupada, ¿cuándo no?, por si él iba a poder dormir, porque había invertido el horario del sueño ya varios días seguidos, pero él quiso que se fueran a acostar lo mismo, cerca de medianoche, y consiguió dormir lo más bien.

—¿Y ella?

—Creo que también. Fue la única noche que durmieron juntos. Y ahora viene por fin la parte picante.

—Él no quería levantarse para el desayuno.

—Adivinaste. Al despertarse él estaba con un entusiasmo, una felicidad increíble. ¡Es que él no había visto nada de la isla todavía! El programa era ir a la playa, llevar una cestita que les preparaban en el hotel, un picnic en la selva, porque los domingos no hay quien sirva a mediodía. A nosotras dos cuando estuvimos también nos dieron la cestita del domingo.

—¿Rica comida?

—Sí, dos tipos de ensaladas bárbaras, rodajas de manzana con nueces picadas, con bastante jugo que la manzana va soltando, ésa era una, y otra de ralladuras de zanahoria con gajos de naranjas, una combinación muy de aquí. Yo nunca me imaginé que la zanahoria se combinase tan bien con la naranja.

—Ya lo vi anunciado en las casas de jugos. A mí me dio asco la idea. Pero ya ves, la próxima vez voy a hacer la prueba.

—A mí pocos gustos tropicales me van. El mango y la chirimoya me repugnan un poco.

—Nunca te gustó probar cosas raras. Ya les tenés idea de antemano.

—No es cierto, nunca había probado el maracuyá y ahora dejo cualquier cosa por ese jugo, si se le agrega azúcar. Bueno, además de las ensaladas te dan presas de pollo bien asado, y pan, y postre.

—¿Pero se levantaron a tiempo para el desayuno o no?

—Él no quería, tenía una pereza terrible, pero a ella le vino una languidez de estómago tan bárbara que tuvo que ser sincera con él y decirle que ella sólo de amor no podía vivir.

—¿Él la había despertado durante la noche?

—Ay, Nidia, esos detalles no me dio. Me dijo que él daba la impresión de gustar mucho de ella, en ese sentido, porque todas las tardes, en el único momento que coincidían juntos en la pieza, bueno, sucedía lo inevitable. Pero de esa noche no dijo nada, que durmieron muy bien, eso sí me dijo, y que él no se quería levantar.

—Pero, Luci, perdoname, vos dijiste que había cosas muy picantes. Y esto que me estás contando de picante no tiene una reverenda nada.

—Vos callate. Como te dije ella se moría por un

poco de café y los dos por fin llegaron al comedor a desayunarse. Y ahí mismo te entregan las cestitas.

—¿Pero por qué él no se quería levantar?

—Por lo que pasó después durante el picnic supongo que esa mañana tuvieron lo suyo, antes del desayuno. Pero detalles no me dio. Entonces ahí en la sala del desayuno estaba la portuguesa, y la de al lado se vio en el compromiso de invitarla a ir con ellos dos. Porque la verdad es que todos los días la tipa le hacía una compañía bárbara, y es muy feo a la hora de las comidas estar buscando un lugar donde sentarte y ni quedarte sola ni meterte donde no te llaman. Y salieron los tres. Era un día precioso, con sol fuerte de a ratos, y por ahí se nublaba, que ayudaba bastante porque tanto sol tampoco se aguanta. Y estuvieron recorriendo playas, todas desiertas, porque los del grupo habían salido casi todos en lancha. Y claro, ellos no porque él ya había tenido bastante navegación todas esas noches. Y la portuguesa se mareaba un poco. Entonces recorrieron esa ristra de playitas; yo las vi todas, una primero toda blanca, después otra con peñasco, especial para ir mirando el fondo con esos anteojos especiales. Yo les tenía idea y no me los quería probar, hasta que esta Silvia se me enojó un poco, y me dijo que era una tontería perderme semejante espectáculo. Se me puso bastante seria, me retó casi. Y yo se lo agradezco porque ahí para no producir una tensión inútil hice un esfuerzo y vencí el miedo de mirar debajo del agua. ¡Era una cosa divina! Todo ese fondo de roca de colores, y los reflejos del sol que van dibujando cosas de acuerdo al oleaje. Algo de otro mundo. Y después viene ya la selva misma, y ahí hay linda sombra para sentarse y comer, cuando se viene el hambre. Bueno, los tres se dieron su buen baño de mar, él se fue nadando bastante lejos y a ella le dio miedo. Porque ella es aprensiva, eso sí es un defecto de ella. Y volviendo de nadar comieron algo, ellas apenas la mitad de la cestita o menos, pero él barrió con lo de él y lo de ellas también. Y a pesar de no haber tomado nada de alcohol, él después de comer estaba como cambiado, porque hablaba y hablaba. Ya en el agua había pasado algo, y es que estando con ella arriba de una roca, entre que se animaban a zambullirse o no, porque eran altas esas rocas, yo las vi, como tres o cuatro metros más que...

—¿Se metieron al agua en seguida después de comer?

—No, antes de comer, al subir a esas rocas él empezó a dar señales de esa euforia que le vino. Él estaba ahí preparándose para zambullirse y la portuguesa le gritó de lejos que se animara a tirarse, que quería ver un buen salto ornamental. Y a él le dio un ataque de risa. Y la de al lado no sabía de qué se reía él tanto, y él no quería decir. Y al final le empezó a contar, que se sentía como un galán, ahí haciendo demostraciones para sus admiradoras. Y ella le dijo que sí se declaraba admiradora, pero que la portuguesa era una mujer bastante distante. Y él ahí se reía más que nunca.

—¿Por qué?

—Es lo que le preguntó esta Silvia. Y él se reía, y se reía. Y ella estaba encantada de verlo tan contento, pero también intrigada por esa risa misteriosa. Y él le contó que la portuguesa de vez en cuando le miraba donde no debía, cuando él estaba con la vista para otro lado. Pero él se daba cuenta, la podía controlar mirándola de reojo. ¿Te das cuenta lo que te digo, no? La portuguesa le miraba la bragueta.

—Pero las mallas de hombre no tienen bragueta.

—Pero lo que esa pobre portuguesa quería ver... era lo que está debajo de la bragueta, ¿me explico?

—Se le iban los ojos, pobre. ¿Pero eso por qué le daba risa a él?

—Porque de buenas a primeras estaba ahí de gran galán, y al sentirse centro de las miradas se puso a caminar un poco más derecho, y tratando de entrar la barriga.

—¿Cómo quedaba en malla?

—Yo no lo vi nunca, Nidia, ni con malla ni sin malla. Y después de comer les contó de esas noches de pesca, de cómo hay que estar siempre atento al mar, porque una tormenta se puede desatar en cualquier momento, pero el marinero que es ducho la presiente, a la tormenta, avecinarse. Esas lanchas son bastante enclenques, y no le pueden hacer frente a una tormenta brava, tienen que acercarse a la costa ni bien empieza a cambiar el viento. Él decía que eso era lo que más le gustaba, estar ahí siempre atento a la respiración del mar, tenerle el oído puesto en el corazón mismo. Y adivinarle los cambios. El mar, a veces de golpe empieza a engrosar, se le dispara el corazón, sin razón aparente. Y él decía que el mar a veces era como un cuerpo de mujer, al que hay que saber escucharle el ritmo, para de algún modo dominarlo, o no, no es eso lo que dijo, para saber anticipársele en los caprichos. Y mientras él hablaba la portuguesa escuchaba muy impresionada, y ésta de al lado la empezó a observar, para ver si la otra miraba donde no debía. Y una vez la pescó in fraganti. Y ahí esta Silvia tuvo un arranque muy raro. Les dijo que la disculpasen, que quería estar sola un rato, quería caminar y pensar sola, y los otros dos se quedaron bastante cortados, y la Silvia le guiñó el ojo a él, y se largó a caminar.

—No te creo.

—Ella no se lo creía a sí misma. Dice que le vino una lástima tan grande de la otra, le pareció tan injusto que una tuviera tanto y la otra nada, que le vino ese arranque de prestárselo un rato.

—Pero los otros dos se habrán quedado de lo más cortados.

—Pensá, Nidia, que todo eso estaba ocurriendo en un escenario muy distinto del de todos los días, ese verde se sube a la cabeza, como el alcohol. Y esta Silvia empezó a dar vueltas, se subió de nuevo al peñasco de las zambullidas, pero desde ahí no se veía nada de lo que podía estar pasando. Una pregunta te quiero hacer, ¿vos viste alguna vez a un ahogado que le dan respiración boca a boca?

—No, por suerte nunca.

—Es muy impresionante. Acá viviendo al lado de la playa cada tanto se ve. Están esos muchachones salvavidas de camiseta roja que se largan al agua cuando ven alguien hundiéndose, y una vez en la arena si el ahogado no reacciona lo doblan en dos, varias veces, y si así no respira le abren la boca y le soplan fuerte adentro. Y por supuesto más impresionante es cuando se trata de una ahogada, porque el muchachón se le sube encima y todo es muy tremendo, ese animalote que le devuelve la vida a una muerta. Y ahí la de al lado se bajó del peñasco y se fue hasta la playa siguiente, que es no me acuerdo cómo, y después se volvió caminando despacio, para darles tiempo de algo. Pero decidió volver sin hacer ruido de pisadas, le había venido una tentación irresistible de espiar. ¿Sería que él le estaba devolviendo la vida a esa pobre mujer tan olvidada del mundo?

—Pero la portuguesa no estaba tan caída.

—Según ésta en un momento la portuguesa puso una cara terrible, cara de desolación total, cuando él hablaba de las tormentas del mar.

—Pero él no lo hizo a propósito, él es un buen hombre.

—Esta Silvia se sintió casi con el derecho de espiar, porque a ella no la podían hacer a un lado, ¿acaso no había sido idea de ella dejarlos solos? Y ahí le sucedió algo que la puso bastante nerviosa: se perdió. No podía encontrar el camino de vuelta al lugar donde ellos estaban. Pero tampoco quería llamarlos porque ahí los ponía en guardia. Resolvió no perder la calma, respirar hondo, no dejarse sofocar por los nervios, y seguir buscando. Pero nada, y nada. Por fin de golpe oyó algo, era eso, ruido de mala respiración, de jadeo de ahogada, de alguien que lucha por escapársele a la muerte, porque la muerte te quiere hundir y llevarte al fondo del agua, puede ser el agua clarita de esa playa de rocas, que lo mismo mata. Y la de al lado miró y eran ellos, sin ropa, él encima la tapaba casi toda, y la besaba igual que la besaba a ella en la pieza del hotel, mientras le trataba de pasar el oxígeno, que él tenía de sobra, y a ella le faltaba. La tenía montada, pero no estaba con la mallita negra y la camiseta roja de los salvavidas, estaba sin nada, era una cosa rara, era el hombre que ella tanto quería, pero también un animal que no le merecía la menor confianza. Miró un segundo y retrocedió para que no se dieran cuenta que los estaba viendo. Y se fue alejando sin hacer ruido, y un buen rato después fingió andar perdida y los llamó, para darles tiempo a recomponerse. Y al verlos los abrazó y les dijo que había dado una vuelta tan linda, y que estaba exhausta, y los tres ahí se recostaron un poco a descansar. Ella como es tonta, la de al lado, no pudo relajarse y dormir, los otros dos sí, y por ahí los despertó y les pidió que la acompañasen a nadar un rato. Y la acompañaron, y nadaron los tres juntos, y ya después volvieron porque antes de las seis ya salía el lanchón de él. Y según esta Silvia, a partir del momento que lo vio encima de la otra supo

113

que él era el único que le podía pasar ese oxígeno que le estaba faltando, a ella misma, porque ella día a día se estaba ahogando, sin él poco a poco se le iban a llenar los pulmones de agua sucia. Y esa noche en la cena la portuguesa le dijo que nunca había conocido a una persona más generosa que ella, y ésta le hizo unas sonrisitas de compromiso y le pidió que no hablaran más del asunto, y sí que le contara todo todo de su vida.

—A todos los trata como pacientes.

—Mirá, eso es una pavada. Conmigo es todo lo contrario, nunca le conté nada mío porque apenas si alcanza el tiempo para que me cuente lo de ella, además hay que ver que cada cosa me la repite por lo menos diez veces. Y los demás días en la isla fueron de la misma rutina. Él salía a la tardecita con los lancheros, volvía a la mañana cuando ella estaba por entrar a sus reuniones de grupo y se veían nada más que al volver ella de la primera sesión de la tarde. Ahí él ya la estaba esperando bien afeitado y con una sonrisa de oreja a oreja, porque se avecinaba la gran aventura de echar esas redes vacías, cada noche lo mismo, aunque en el fondo estuviese siempre ese miedo a que se desatase la tormenta, sin tiempo para llegar al reparo de la bahía. A la portuguesa él no la vio más, sólo de lejos.

—¿Él dónde comía? ¿Le alcanzaba con los camarones de la noche?

—Me había olvidado, esto es importante. A partir del segundo día que él navegó ella se dio cuenta que él se perdía el almuerzo, porque a mediodía lo que le tiraba más era dormir. Entonces habló con el encargado del comedor y cada noche le hacían una cestita que quedaba en la heladera, y él se la comía al volver a la mañana.

—¿Y de tomar?

—Ella le traía una cerveza bien helada a la pieza. Y él se comía todo en santa paz, después de darse una ducha. Y a dormir. Mientras ella se iba a su primera sesión.

—Y él se creía que todo eso estaba pago como parte del grupo. ¿O sospechaba algo?

—Ella pagaba todo, hasta el último centavo, sin que él sospechase. Y el viernes a la mañana, cuando atracó el lanchón de pescadores, ella estaba esperándolo en el embarcadero. Ya al rato salía el otro barco de vuelta, con todo el grupo a bordo, rumbo cada uno a su casa. Ella había rogado que él se atrasase, así perdían el barco y tenían que esperar hasta el día siguiente. Pero no, él llegó a tiempo, y en el otro embarcadero estaban puntualísimos los ómnibus esperando, y nada ya les podía evitar la separación. En el ómnibus cuando empezaron a avistar los primeros suburbios de Río él le dijo en el oído que nunca en la vida se iba a olvidar de esos días, y todo se lo debía a ella.

—¿Y qué mirada tenía él en ese momento del ómnibus? ¿La miraba en los ojos o seguía mirando para otro lado?

—No me lo comentó. Ahí en el ómnibus a ella le vino uno de esos arranques incontrolables y le dijo que la verdad era al revés, era ella que le debía todo a él, y que de ahí en adelante no tenía más control de sus actos, que necesitaba de él, del apoyo de él. Que ya era tarde para ella echarse atrás, y para avanzar... sin él ya no podía dar un paso.

—Pobre. Lo necesitaba de veras.

—Yo creo que esas palabras tontas de mujer enamorada la liquidaron. Fue su grave error.

—¿Por qué? ¿Por qué no ser sincera?

—Porque no lo vio más. Ese día se despidieron ahí frente al Hotel Marina Palace, punto final del ómnibus del grupo. Ella creyó que él la iba a llevar en taxi hasta la casa, un detalle, una cortesía.

—Ahora me doy cuenta, el mimado era él, no ella. Pobre Silvia, se equivocó.

—Pero él tenía la preocupación de todo el trabajo atrasado, en la isla ni siquiera había abierto la valija con todos los papeles de contabilidad. Eso a ella le dio mala espina, esa despedida en una vereda, delante de todos. Pero al día siguiente, sábado, se iban a ver. Él la llamó esa mañana siguiente para decirle que era terrible el atraso de trabajo, que la llamaba el domingo a mediodía, según avanzase con los papeles. No la llamó. No la llamó nunca más.

—Luci, hoy el teléfono sonó mucho. Fui yo que no quise atender.

—¿Por qué?

—Me dio ese arranque. Pero ahora me arrepentí.

—Nidia, hiciste mal.

—Ahora estoy arrepentida.

—No lo hagas más.

—Luci, se me fueron las ganas de ir a esa isla.

—Pero es muy linda, ¿qué culpa tiene la isla si la gente es loca?

......

......

—Luci, me parece que están llamando. El portero eléctrico.

—¿Qué hora es?

—Todavía no aclaró... Esperá. Tres y veinte.

—Debe ser algún borracho, a esta hora.

—Contestá, vos, que a mí no me entienden lo que digo.

—Esperá un minuto. ... Nidia, es el guardián de al lado. Ella está mal.

116

Capítulo siete

Para entregar à Senhora Luci

Río, dos de la mañana

Luci:

Usted estuvo hace un rato y hablamos del mexicano, del famoso Avilés. Yo le había prometido explicarle cómo eran los ojos de él, su mirar, y después no conseguí comunicarle nada. Tal vez me daba vergüenza decir ciertas cosas. Qué absurdo, no tengo nada que perder, estoy vencida, humillada, abandonada, a un punto ya casi intolerable. Menos mal que he dicho casi. Tal vez dentro de un rato sea intolerable y punto. Sin el casi. Si sucede la voy a llamar a usted, Luci. No tengo a otro que molestar. Le ha tocado ese ingrato papel, a usted, de la vecina paño de lágrimas. Pero es posible, Luci, que no la llame esta noche, puede ocurrir un milagro. Ya sabe cuál. Puede sonar el teléfono. Mi teléfono. Un teléfono descompuesto. Y yo correría a atender, no como su hermana Nidia. Pero no voy a pedir un milagro. Algo menos que eso, por ejemplo poderle describir los ojos de Avilés me aliviaría. Y para eso agarré papel y lápiz.

Pero no parece mi letra, Luci, estoy mal de veras, este pulso no es el mío, parece que las letras no tuviesen más el renglón imaginario sobre el que yo siempre supe apoyarlas. Siempre escribí derecho, sin necesidad de renglón, mi letra iba trazando esa línea horizontal perfecta. Este pulso de hoy corresponde en cambio a una psiquis que ha sufrido determinada y fundamental variación. Es que he perdido algo fundamental. No veo por qué me voy a levantar mañana de la cama e iniciar el ritual de todos los días. Lavarme la cara, levantar el periódico del suelo...

Pero no le estoy siendo todo lo precisa que me propongo, sí hay algo que me gustaría todavía hacer en esta vida, y es explicarle lo que significaba la mirada de Avilés. Se lo prometí tantas veces. Además me quiero enterar también yo de ese significado. Déjeme concentrar un momento. Por ejemplo, yo entraba en la biblioteca de la universidad, donde él estaba trabajando y él tenía otra mirada, porque estaba con algún libro entre las manos o con algún alumno exasperante, y de pronto al verme le cambiaban los ojos, sin pronunciar una palabra me estaba diciendo que me necesitaba y que yo era exactamente la persona que él había querido ver apareciendo por esa puerta enorme de la biblioteca. ¿Comprende?

Pero no estoy logrando explicarle nada específico, realmente. Ésa sería la misma mirada de un mendigo cuando usted se le acerca y le da una buena limosna. Era mucho más que eso. Aquella mirada no podría tenerla alguien que contemplase un paisaje devastado por el viento o azotado por una lluvia torrencial, o peor todavía un cielo atravesado por un rayo. Una mirada tal corresponde a alguien que no se acuerda, o nunca supo, lo que es un dolor físico, o un recuerdo amargo. La mirada de alguien a quien se le olvidó todo lo malo de este mundo, o que se olvida en ese momento, porque está mirando a alguien que quiere, o mejor, más preciso, porque está mirando a alguien que le resuelve todo en la vida.

No sé, en realidad quien se olvidaba de lo malo

de este mundo cuando lo miraba era yo. Ése era mi sentimiento. Yo no le hacía olvidar nada, porque ya está comprobado que las cosas no terminaron bien. ¿Qué puedo saber yo sobre lo que él sentía al mirarme? Entonces volvamos a foja cero: la mirada de él, ¿cómo era? Yo le dije a usted que la mirada de Ferreira se le parecía, y es cierto, eso de chico perdido, un poco, no del todo, no perdido, apenas extraviado, y que ve aparecer a alguien que sabe el camino de vuelta a casa, y por eso se alegra, se tranquiliza, recupera la paz. Ferreira no llamó más, Luci. También eso es de chico, esa desconsideración, esa crueldad.

Pero lo estoy enredando todo. Imposible analizar, adivinar, lo que ellos dos sentían, tanto uno como el otro, cuando me miraban y me hacían creer en esa fábula. Luci, me hacían creer que yo aparecía y se les acababan todos los problemas. Está visto que no se les acababan, o que yo les creaba una nueva serie de otros tantos, insolubles también. Nueva serie de problemas que con dejar de verme se solucionaban instantáneamente. O no. Luci, no sé cuál fue mi error, traté de ayudarlos, a los dos, de darles soluciones, no dolores de cabeza. No pedí mucho. Que me vieran. En mis horas libres, que no eran tantas. Horas buenas para el encuentro de gente ocupada como éramos, a la noche. Ideal.

¿En qué erré? Luci, yo creo que usted va a estar de acuerdo conmigo. Sí, yo lo veo tan claro, en este preciso momento. Les dejé ver mi desesperación. Les dejé ver que a mis cuarenta y seis años no había logrado más que aumentar mi vulnerabilidad de siempre. He trabajado tanto, he estudiado tanto, me he esforzado tanto para que las cosas marchen (?). He viajado, he tratado de adaptarme a diferentes países, los he estudiado, los he aprendido a querer tanto como a mi propia Argentina. Y no he conseguido más que esto, depender de un llamado telefónico, para poder seguir respirando.

Estoy sola esperando que alguien toque el timbre de calle, esperando que mi hijo me escriba diciendo que ya México no le gusta más y que se quiere volver a Río, esperando que usted no salga de casa para poder responder el teléfono, y en el peor de los casos, esperando que su hermana conteste el teléfono y entienda un recado complicadísimo en portugués. Todo lo que estaba de mi parte resolver lo he resuelto, pero cuando les llega el turno a los demás ya todo corre peligro. Los demás se niegan a resolverme un bledo. ¿Qué querrá decir bledo? Nunca me lo pregunté. Lo voy a buscar en el diccionario. Un minuto.

El diccionario dice, «bledo: planta salsolácea, de tallos rastreros; en muchas partes la comen cocida; en lenguaje figurado designa a un ser sin importancia alguna». Sin querer hallé lo que significo yo para ellos. En fin, bromas aparte, tal vez sería más aclaratorio indagar lo que yo sentía, y basta, al caer bajo la mirada de ellos. De ellos no sé nada, no conseguí saber nunca realmente qué era lo que sentían.

Así que, Luci, si no le molesta, le voy a tratar de explicar mi lado de las cosas, una vez más. Cuando Avilés me miraba, en ese momento en que me engañaba a mí misma pensando que le devolvía el equilibrio espiritual, yo sentía... yo sentía... Me veo obligada a hacer ese juego de las imágenes afines, que practico a veces con mis pacientes. Tanto Avilés como Ferreira me hacían fantasear con techos muy seguros, que no dejaban pasar ni una gota de ese diluvio que se desataba por fuera. Avilés vivía en un departamento cerca de la Ciudad Universitaria, al pie de un cerro, el Ajusco, que atrae unas tormentas eléctricas terribles. Yo vivía aterrada por esos rayos, pero nadie me llevaba el apunte cuando hablaba de eso, lo tomaban como algo normal. En Ciudad de México llueve todas las tardes en verano, todas, y caen esos rayos por donde se mire. Una mañana leí en el diario que un rayo había matado a alguien que iba caminando por la mismísima avenida, con arboleda divisoria en el medio, que yo siempre cruzaba para ir al departamento de Avilés. Árboles de hoja con reverso blanco, que atrae la electricidad.

Él aconsejaba no tenerles miedo, porque eso los atraía, como el reverso blanco, o plateado casi, de las hojas, ¿cómo se llama ese árbol? No resistí y empecé a fijarme en las noticias de accidentes en los diarios: a menudo había un rayo matando a alguien. Pero cuando Avilés me miraba yo le creía que los rayos no mataban, como decía él. Aunque él no decía nada, ¿me entiende? Era la mirada la que hablaba. Al no tenerles miedo, los rayos caen sobre alguien y esa miel, diría, que cubre toda la piel de cierta gente, los apaga. Esta noche ni piel tengo, tengo pellejo. Seco, rugoso, desprendido del hueso. El rayo se desploma amenazante, furioso, pero la piel dulce lo apaga, y no queda más que un chisporroteo lindo de fuego artificial.

Si en vez de recibirme en su departamento Avilés esta noche me llevase a los cerros, alguno que hubiera cerca, el terrible Ajusco, claro, y se desatase una lluvia terrible, ¿qué pasaría? Pongamos que él hubiese insistido en ir este fin de semana a una choza escondida en lo más alto de ese cerro. Me imagino yo, ¿entiende, Luci? Y él entonces me aseguraría que no iba a haber problemas con la electricidad atmosférica, bien mojados llegaríamos a la choza y adentro habría toallas, y desde la ventana él me muestra cómo caen los rayos, y cómo matan árboles milenarios, vaya a saber por qué, carbonizándolos, y yo creo todo lo que me dice: quien no le tiene miedo a la tormenta puede salir y recibirlos, los rayos son nuestros hermanos en la creación, y no le hacen nada a la gente con la piel endulzada, de tanta caricia recibida esa misma tarde. Avilés sabía todo, en lo referente a evitar peligros inútiles.

Cuántos años hace ya que no me mira de aquella manera. ¿Qué error cometí con él? Le dije que lo quería, le critiqué los excesos alcohólicos, lo quise hacer más feliz, lo quise cambiar. Es decir, que cometí todos los errores posibles. ¿Y con Ferreira? Inútil devanarme más los sesos. Todo salió mal y nada más. Pero le estoy siendo injusta: le conté a usted todo aquello de la isla, no le mentí en nada, pero le callé algo que es fundamental en esta triste historia. Me dio vergüenza contárselo.

¿Se acuerda de aquella primera vez que él me vino a ver a casa, aquella mañana de sábado? Todo sucedió como le conté, pero en determinado momento, estando todavía acostados, pocos segundos después de alcanzar él su culminación, se descompuso. Le vino una náusea muy fuerte y a duras penas evitó el vómito. Creo que no se necesita abrir un solo libro de Psicología para comprender lo que pasó. Un ataque de culpa tan violento como primitivo. Y de rechazo hacia mí. O lo que fuese. Lo importante es que sucedió. Yo no le hice bien, eso es todo, yo le hice mal. Le caí mal, como una bebida barata, o un pescado ya no fresco. Para mí él era una panacea, y yo para él un veneno. ¿No tiene su parte cómica? Quedó muy avergonzado, porque había sido evidente el conato de vómito. Hice como que no me había enterado, del componente psíquico, y le ofrecí una sal de frutas. La tomó.

Y el siguiente encuentro fue ya en la isla, y sin sobresaltos. Ahora usted sabe todo. De chica a veces cuando estaba intoxicada, o empachada como se decía, me daban algo para provocar el vómito, se llamaba ipecacuana, y en el frasco se leía «sustancia vomitiva». Ese hombre me redujo al estatus de la tal ipecacuana, sustancia vomitiva. Él no quiere volver porque ésta es la casa donde casi le vomitó encima a una mujer desvestida y con cara de enamorada, o mejor dicho de boba. Pero sucede Luci que estoy muy cansada. No puedo hacer el esfuerzo de vivir sin la ayuda de él. Es un hombre que me resuelve todo. Me da todas las respuestas. Me hace sentir buena, joven. Me da alegría, me hace ver todo interesante, todo, si él forma parte de ese todo. Muy pocas veces en la vida sentí eso, la alegría indiscutible de vivir, y no me resigno a perderla. No me resigno al dolor. Aceptar el dolor equivale a aceptar la muerte en vida. Preferible la muerte definitiva. Luci, si no nos vemos, le estoy dando un abrazo fuerte.

—Nidia, ¿te sentís un poco mejor?

—Más o menos.

—No me asustes, por favor. Decime bien claro lo que sentís.

—Es un malestar general. Como cuando Emilsen se descomponía, igual. De verla mal yo me ponía mal.

—¿Y te duraba mucho?

—Hasta que ella se componía un poco.

—Ya oíste lo que dijeron en la clínica, ella está fuera de peligro.

—Vos te tendrías que haber quedado a hacerle compañía, por lo menos las primeras veinticuatro horas.

—No quiso ella, ¿cuántas veces te lo voy a repetir? «Vaya con su hermana», me dijo. Pero muy seria me lo dijo. Total ella con el calmante ya iba a dormir. Y esta tarde ya la mandarán a la casa, y basta.

—Ay, Luci, no encuentro acomodo en esta cama.

123

—Relajate, si pudiésemos dormir un poco ahora, después sería...

—¡Yo no puedo dormir durante el día!

—...

—«Vos cuidate», me decía Emilsen, cuando me veía preocupada por ella.

—Vos estabas presente cuando el médico habló, después que lavan el estómago ya no hay más peligro. Así que no te pongas mal por eso.

—¿A mí qué me importa de ella? Otras quieren vivir y se mueren. Y ella que tiene la suerte de curarse anda dando escándalo con las pastillas.

—Yo creo que en el fondo no se quería morir. El hígado le rechazó las pastillas porque había cenado bien. Tenía todavía la digestión en pleno.

—Alguien desesperado no come, Luci. Pero lo mismo me impresionó, no me gusta andar entrando a las clínicas otra vez.

—Te dio más lástima que a mí, ¿por qué será?

—¿Era la sala de primeros auxilios o una sala de operaciones, donde la viste?

—No sé. Pero ahora quedate tranquila vos, no me des más lata. Ahora ella duerme, eso con seguridad. Así que mejor dormir también nosotras. Y a la tarde si se vuelve ya estamos descansadas para atenderla.

—A mí no me va a querer ver. Pero lo mismo no creo que la dejen salir de la clínica tan pronto.

—El estómago no le toleró la pastillada y basta, al vomitar todo se salvó. Si no ya estaba en el otro mundo.

—Si hubiese sido un edificio como éste, sin portero de noche, se moría.

—Yo en la reunión de condominio pedí que pusieran vigía, como le dicen aquí, total entre todos un sueldito de hambre de ésos se paga sin sentir. Pero no quieren, dicen que ni bien llegan todos los automóviles del edificio a la cochera el tipo se echa a dormir y no vigila más nada.

—Pero si alguien llama desde un departamento pidiendo socorro el vigía se despierta.

—Ella estaba vomitando todo, aunque el vigía no la hubiese socorrido se salvaba lo mismo.

—Te voy a contar una cosa pero no se la digas a ella. Cuando vos estabas llamando a la asistencia pública yo aproveché para darle una ojeada a la casa y lo pesqué al vigía sacando algo de la heladera.

—Fui yo que le pedí hielo para pasarle trapos fríos por la frente, que estaba quemando.

—Eso ya sé. Después, él volvió a la heladera porque habría visto comida y estaba revolviendo algo cuando me vio y soltó todo. Pobre chico.

—Pobrecito, pese a todo el susto el hambre no se le pasó.

—Luci, hacía tiempo que no pasaba la noche en vela, y ahora doy vueltas y vueltas en esta cama y no encuentro acomodo.

—¿Querés comer algo?

—No, Luci. Lo que querría es algo que no me animo a decirte.

—Querés salir a dar una vuelta.

—Sí, está lindo afuera, nublado, no hay ese solazo que hiere la vista.

—Ay, Nidia. Yo no tengo aliento ni para ir al baño, así que menos para vestirme y salir. Te juro, hace rato que tengo ganas de ir al baño y el cansancio no me deja mover.

—Es que las paredes me hacen mal, Luci, me quitan el aire.

—Decime la verdad, ¿tenés miedo que a la vecina le venga alguna complicación?

—No. Ella se la buscó, no me da tanta lástima.

—¿Entonces por qué armás tanto lío?

—No sé, Luci. Y si esa llamada era de él tampoco creo que hubiese resuelto gran cosa. Si era él que llamaba seguramente querría darle alguna excusa, y no anunciarle visita.

—Nidia, ahora escuchame bien, porque si él llama y atendés vos podés meter la pata. Ella estaba muy lúcida ahora, después del lavaje, y las órdenes fueron muy claras, si él llama no hay que contarle nada.

—Eso ya entendí.

—A ella ahora le vino un ataque de odio contra él, por desconsiderado. Y tiene razón, porque a nadie se la trata así, ignorarla como a un perro.

—Luci, yo a él lo defiendo y lo seguiré defendiendo siempre. Fue ella la que insistió en la relación. Fue ella que lo llevó a tomar el cafecito, ella que después lo buscó y revolvió cielo y tierra hasta que lo encontró. Fue ella que lo llevó engañado a ese hotel, diciendo que todo era gratis. No fue él quien vino a ilusionarla y prometerle cosas.

—Tenés razón, Nidia.

—Sea como sea, yo no quiero contestar el teléfono.

—Puede ser que te quedes sola un momento, que yo esté en la ducha, y llama mi chico de Suiza. Hay que siempre contestar un llamado.

—Cuando entres en la ducha desconectá y listo.

—De todos modos, si él llama se le dice que ella salió de Río, que fue a San Pablo por unos días y no se sabe cuándo viene.

—Luci, si yo le pagara unos cruzados a ese pobre chico vigía, ¿no me acompañaría a dar una vuelta?

—Yo creo que sí.

—Siempre se ve algún viejito por la playa, o alguna viejita, caminando con un enfermero o con un portero, que les da el brazo. Yo no necesito apoyarme en nadie, pero salir sola no me gusta.

—Buena idea.

—¿Ya se habrá ido el chico a la casa?

—Ay, Nidia, yo nunca lo veo a la mañana, se debe ir muy temprano.

—Cuando lo pesqué en la heladera me miró con una cara, que me partió el alma. Los ojos, tan lindos, como de un ciervito, siempre asustado. No sólo anoche con la heladera abierta. Lo mirás y se pone así, como si lo estuvieses pescando con las manos en la masa, siempre. Y cada vez que vos sacabas el tema de los ojos de esos hombres de la vecina, yo pensaba en los ojos de este chico.

—Yo nunca me había fijado.

—¿Cómo podés decir eso? Es un chico tan lindo, que llama en seguida la atención. Yo lo noté ni bien llegué acá.

—Será que en Río uno se acostumbra. Cuerpos de chicas como los que se ven en las playas de acá no he visto en ninguna parte. Y los chicos tienen unas caritas preciosas. ¡Ah!, se me había olvidado una cosa. Esta Silvia me aclaró otro asunto, al dejarla ahora en la pieza, antes de venirnos para acá. La desesperación por la llamada de él tenía una razón especial, y es que ayer a la mañana ella le había dejado recado a él, que la llamase a este número que lo necesitaba urgente.

—No entiendo.

—Sí, ella se había aguantado de llamarlo todo este tiempo, desde lo de la isla.

—¿Pero dónde dejó el recado?

—En una de esas oficinas. Porque el número de la casa él nunca se lo dio. Eso ya te lo expliqué.

—No, Luci, jamás me lo aclaraste.

—Es horrible, ¿verdad? Pero es así, el número de la casa nunca se lo dio, se hizo el distraído, vaya a saber.

—Yo creí que era tan pobre que no tenía teléfono.

—Tiene, Nidia.

—Entonces él puso la distancia desde el principio. Es un sinvergüenza.

—Bueno, desde lo de la isla que no le escuchaba la voz. Pero cuando hace dos días se le descompuso otra vez el teléfono no aguantó más y llamó para dar este número, por si a él se le ocurría llamar.

—Y encima dijo que había una urgencia.

—Sí.

—Entonces fue él que llamó anoche, cuando yo no atendí. Y lo hice a propósito.

—¿Vos qué sabés? Podía ser llamado de Suiza, y mejor que no atendiste, le hacías gastar una llamada a mi chico. Mejor que no contestaste.

—¿Cuándo te dijo el Ñato que volvía?

—Ya tendría que haber vuelto. No me gusta nada la cosa.

—No creo que lo convenzan de quedarse allá.

—Yo no le dije nada que no quería ir a vivir a Lucerna, pero él se dio cuenta.

—Qué horror si te dice que viajes de buenas a primeras, se me termina Río a mí también.

—No, él tiene que volver acá. No me asustes. A lo mejor fue él que llamó anoche.

—No, seguro que fue ese Ferreira.

—Decí la verdad, vos atendiste.

—Sí, Luci. Atendí. Y era un brasileño. Pero no entendí bien lo que decía y colgué. Me dio ese arranque, te juro que no sé por qué.

—Nidia...

—Me puse nerviosa y colgué. Habrá dado el apellido de ella, no sé. Eran nombres raros.

—Ella se llama Silvia Bernabeu.

—Actué mal, ¿verdad?

—Si ella se entera te mata a vos.

—Fue un arranque, Luci, no sé por qué lo hice.

—Ojalá que nunca se entere.

—... ¡Luci! ¡El timbre de calle!

—¿Tan temprano? Andá a ver quién es, Nidia, que estoy molida.

—Yo no entiendo lo que me dicen por el portero electrónico.

—Andá, por favor. No creo que sea él.

—No me gusta nada, un timbrazo a esta hora...

—Luci, no era nada.

—Vos sos loca, te dije de no abrirle nunca la puerta a gente que no conocés.

—Le abrí porque era el chico de al lado. Mirá lo que te trajo.

—¡Los anteojos!

—No se le escapa nada a ese chico. Te los dejaste sobre la mesa de luz de ella.

—¿Y por qué tardaste tanto? ¿Te contó algo nuevo?

—No, de la vecina nada. Me dijo que limpió el baño, como vos le pediste.

—¿Y en todo este tiempo no te dijo más que eso?

—No, es que le propuse si no me quería llevar a caminar unas cuadras. Ahora. Pero no podía, tenía que irse a dormir a un lugar donde no lo dejan entrar después de las siete. Esta tarde me va a explicar todo. Y en principio aceptó de salir a caminar. Pero ahora tenía que salir volando, vaya a saber por qué.

—Nidia, ahora yo no te puedo acompañar, de veras.

—No importa, Luci, ya se me está pasando.

—Oí que abrías la puerta del armario grande. Hiciste mal si agarraste algún bombón, no podés comer chocolate, si tenés hambre hay fruta, y tenés el jugo

129

de maracuyá que te preparé. Para eso está, para que te lo tomes.

—No, es que me acordé que estaban ahí en el armario esos merengues de hace como una semana, y nadie los toca. Le di uno al chico.

—Hiciste bien, Nidia. Si viene esta tarde decile que se los lleve todos. Puro azúcar y claras batidas, eso no te podría hacer mal, y no los comés.

—Me empalagan un poco.

—Pero no te iban a hacer mal, y te engañaban la gula.

—Por desgracia a mí me gusta todo lo que me hace mal. El chocolate, el vino, los licores, los huevos fritos.

—Ay, Nidia, me vino un poco de languidez de estómago.

—¿Te traigo unas uvas?

—No, ya que estás traeme un merengue.

CAPÍTULO OCHO

Lucerna, 8 de octubre de 1987

Querida Nidia:

Aquí me tenés escribiéndote desde la loma del diablo. Quién lo iba a decir, una semana atrás. El viaje fue bueno, por suerte insistí en venir en clase económica, estaba vacío al fondo y una azafata amorosa de la Varig me dio los cinco asientos libres de la fila y me acosté ni bien retiraron la bandeja de la cena. Una chica nada nerviosa, con esa buena educación de la gente de allá. Acá, Nidia, la gente está tan tensa que me da miedo, ¿por qué son tan malas si no les falta nada? Las mujeres sobre todo. Esta azafata brasileña seguro que cuando vuelve a la casa tiene que hacer todo, cocinar, criar sus chicos, y lo mismo conserva esa buena disposición, ah, y ni un centavo en el banco. Mirá de lo que me puse a hablar, en vez de comentarte los asuntos importantes.

Bueno, las cosas acá se aclararon, era lo que vos decías, el Ñato quiere aceptar el traslado a Lucerna. Es un paso muy adelante en su carrera, pero le daba no sé qué decidir sin antes saber mi opinión. Pobrecito, yo lo traje al mundo, así que lo conozco mejor de lo que él cree. Para mí él es transparente. Creo que el pobre abrigaba la esperanza de que yo al ver Lucerna cambiase de idea, de verla tan linda, y tan ordenadita.

131

Nidia, me siento tan triste, no te lo puedo ocultar. Es que para él estoy siendo un estorbo, y pobrecito no sabe cómo disimularlo. Yo creo eso, que él esperaba el milagro de que a mí me gustase esta heladera, esta tumba. Sí, Nidia, Lucerna es preciosa, pero yo tengo 81 años, y artrosis, y lo que quieras, de lo que me pidan tengo, como enfermedades, vos sabés. En ese calorcito de Río, y con esa gente tan calma, tan atenta, que te sirve tan bien, yo puedo ir tirando.

Pero te lo juro, no tengo fuerzas para enfrentar otro traslado de país. Yo no sé cómo voy a hacer, porque allá no me puedo quedar. Una cosa era vivir sola como en Río, pero con el hijo a media cuadra de distancia, que si me pasaba cualquier cosa en cinco minutos estaba conmigo. Aquí además todo es tan caro que tendríamos que vivir juntos, creo yo. Y no nos vamos a aguantar. Yo le tomé el gusto a la independencia, un poco tarde pero para siempre. Ay, Nidia, qué feliz era en Río y no me daba cuenta.

Yo no le veo otra salida, tendré que venirme para acá. En fin, vos no te preocupes porque yo en pocos días más me vuelvo, para levantar el departamento o para lo que sea. Espero que no te sientas demasiado sola, pero la verdad es que yo te agradezco tanto que te hayas quedado a cuidarme las plantas, en vez de volverte a Buenos Aires.

Me gustó cómo te le pusiste firme a tu hijo, es que ellos tienen miedo de que solas nos pase algo, una descompostura repentina, un lindo derrame, y sin nadie cerca que nos socorra. Es lógico que piensen así. Pero nosotras no tenemos que dejarnos sugestionar, porque si no hasta al baño iríamos acompañadas.

Eso tiene de bueno el teléfono, que una puede ser más categórica. En cambio, cuando les ves la cara que ponen, de preocupación, de miedo por la vida de una, ahí una se ablanda, no los quiere ver sufrir. Si le vieras la cara que pone el Ñato cuando hablamos de levantar los dos departamentos de Río, es de partir el alma.

Yo le dije que Lucerna me parecía preciosa, pero después me pescó llorando y él no tiene un pelo de tonto. Sí, está la posibilidad de acostumbrarse, con el tiempo. Dice que acá hay piletas con agua caliente para mi natación, cosa que allá en Río es tan difícil de conseguir, pero aparte de ese rato tendría que estar metida en casa todos esos meses de frío. Son como ocho por año. Y el idioma... Por suerte hay un canal de televisión en italiano.

Y las amistades. No son muchas las que he hecho en Río, pero algo es algo. Y no estoy nada tranquila por la vecina, si me hiciste caso y me escribiste a los tres días de mi salida ya mañana podría llegar tu carta. Espero que no te haya dado pereza de escribir, lo bueno es que después te hacías el paseíto hasta el correo.

No entendí por qué no quisiste venir hasta el aeropuerto. Si fue para que la vecina me pudiera contar más cosas no había necesidad, ella ahora te tiene más confianza y habría dicho todo delante tuyo. En el auto no, porque estaba el chofer, pero en la fila para entregar las valijas hubo tiempo de hablar tranquilas. Ella estaba muy agradecida por todo lo que te preocupaste la mañana que llamó el tipo, ¡estaba escrito que tenías que atender vos esa telefoneada! La verdad es que yo esa mañana no podía dejar de inspeccionar el departamento de ella, si todo estaba en orden, si el vigía había limpiado todo ese asco del baño. Estaba todo perfecto, Nidia. Tenés razón que ese chico es muy responsable, yo nunca vi esa casa tan ordenada como esa mañana. Pero me perdí de escucharle la voz al tipo, ¡me moría por conocérsela!

Y a vos te tocó la suerte, a vos que no te importa nada del asunto. Tenés tu lado perro, ¿verdad? Aunque admito que cada uno simpatiza con la gente muchas veces sin saber por qué. Y las antipatías igual, aunque ahora ya la estás comprendiendo más.

Ahí en el aeropuerto me pudo dar más detalles, vos tenías razón, delante tuyo allá en casa no dijo todo, pero creo que no fue por falta de confianza, es que estaba cansada, el primer día que retomaba el trabajo. Pensá que apenas tres días estuvo sin trabajar, después de semejante vapuleada como debe ser un lavaje de estómago. Vos tenías razón, el patatús fue un viernes a la noche, el sábado se quedó en la clínica, pero el lunes cuando él le fue a la casa sucedió todo. Otra vez. Como vos sospechaste.

Pero no te asustes, ya la fiebre de amor se le pasó, delante tuyo ella no dijo ninguna mentira, fue todo tal cual lo escuchaste con tus propios oídos, con la excepción de lo principal, claro, que fue el revolcón, por llamarlo de algún modo. Pero después se arrepintió de haber cedido, porque no sintió nada, estaba helada por dentro. Dice ella, y vos la escuchaste, que le llegó muy hondo la ofensa de él, alcanzó a matar vaya a saber qué cosa, adentro de ella.

¿Vos a qué apostas? ¿A que le vuelve el entusiasmo o a que poco a poco se van a dejar de ver? Yo le juego a que poco a poco... ¡le va a volver el entusiasmo! No sé por qué, me dio esa corazonada. Ojalá, pobre diabla, y hasta es posible que él aprenda un poco a conocerla y aprecie todo lo que ella vale. Sí, Nidia, ella es buena, convencete. O soy yo que la veo así. Yo la quiero, conmigo ha sido muy cariñosa.

Pensar que todo al final dependió de vos. Si no le decías a él la mentira que ella volvía el lunes de San Pablo él no habría llamado otra vez. Fue buena idea, decirle que el lunes ella volvía y que sí, que tenía algo urgente que comunicarle. Ahora no sé ella cómo habrá justificado lo de la urgencia. Ese detalle se me olvidó preguntarle. Que era lo principal. Si ella tenía una buena excusa que darle, por haberlo llamado, entonces quedaba con su orgullo de mujer intacto. Pero si no tenía nada de verdad urgente, aparte de las ganas de verlo, quedaba como lo que era, una cargosa. Qué feo es cuando toca ese papel.

Pero si ella le había dejado ese recado, que la llamara urgente, ya tendría una buena excusa prepada, ¿pero cuál habrá sido? No me perdono el no haberle preguntado. Pero la cuestión es que él volvió, y vos te ganaste la gratitud de ella mientras viva. Bueno, Nidia, tal vez te llamemos por teléfono antes de que te llegue esta carta. Tené un poco de paciencia y esperame, estoy un poco debilitada, si no iría en el próximo avión, y arrancaba la planta de cuajo.

Ay, Nidia, qué desesperante es todo esto, por cuatro días locos que me quedan de vida tengo que verme en estos trances. Dejar el jardincito del departamento de Río es lo peor, separarme de esos helechos, y esas hojas enormes de la planta atigrada. Y quien compre el departamento no va a saber cuidar nada. Yo las regaba, y después desde la ventana del dormitorio las veía relucientes, creciendo, poniéndose cada vez más lindas, verde claro y después verde fuerte, sin el menor matiz amarillo, dando algún brote nuevo, otra vez verde claro. Tan lindo que es ver las cosas crecer, levantarse del suelo, pero bien agarradas a su raíz.

A propósito, no te dejes engañar a veces por las lluvias, regá bastante, hay algunas plantas que están muy protegidas por las ramas grandes de la palmera y las gotas de lluvia no llegan a mojarles bien la tierra, vos no te guíes por la lluvia, vos tocá la tierra a ver si no está seca. Despedirme de cada planta va a ser morirme cada vez, o sentirlas que se van a morir, sin mi cuidado. Y los muebles tan lindos, comprados en aquella calle de todas cosas de segunda mano. Cosas preciosas, algunas verdaderas antigüedades. Habrá que liquidar todo. Cada venta un luto más. Falta tan poco tiempo para la última despedida de este mundo, que estos otros chau no me hacen ninguna gracia, Nidia. No quiero despedidas de ninguna clase. Quiero quedarme tranquila en mi rincón, que no está acá donde no conozco a nadie y no quiero a nadie. Mi rincón está ahí en esa camita de una plaza desde donde veo el jardín que yo misma planté hace seis años. No tengo tiempo para plantar otro jardín, y menos que menos en un lugar tan lindo pero tan frío como es éste. Ya fue terrible dejar todo en Buenos Aires, pero entonces era joven, ¡tenía setenta y cinco años! ¡Una nena! Ahora tengo ochenta y uno y no soy más una nena.

Perdoname que te deprima con estas cosas, vos tenés ochenta y tres. Y con lo de Emilsen. Ya sé que a mí no me tocó algo tan terrible como eso, pero tampoco me la llevé de arriba. Mejor no saquemos ese tipo de balance. No quiero hablar de las cosas feas del pasado, y tampoco quiero perder todo lo lindo del presente. Pero la vida es así, Nidia, ya el presente para mí es esta divina ciudad a orillas de un lago, que te la regalo. Ya mi jardincito de Río es asunto del pasado, para qué negarlo. Qué poco duran las cosas. Y qué difícil va a ser vernos, porque dos horas y pico de avión entre Buenos Aires y Río se hacen sin problemas, pero trece o catorce es otra cosa. El boleto cuesta una fortuna, y el cansancio ya nosotras no lo aguantamos.

No te iba a decir una cosa, pero creo que sí es mejor anticipártela. Ay, Nidia, no te la podés imaginar, te juego cualquier cosa que no te la imaginás ni remotamente. Es que el Ñato dice que una posibilidad sería que yo no volviese para nada a Río, que él más adelante volvería y levantaría la casa. Eso en caso que yo me sintiera con pocas fuerzas para hacer el terrible viaje de ida y vuelta. Ay, Nidia, creo que hago mal en decírtelo.

Y una de las cosas que más pena me daría, aparte de no ver más el jardín, es que no le conocería la cara, ni la voz del fondo del pozo, al candidato de la vecina. Me muero de curiosidad, Nidia. Las fotitos que vi eran tan chiquitas que no alcanzaban a dar una idea exacta de cómo es. Pobre Silvia, ojalá tenga un poco de suerte esta vez. Bastaría con que fuera menos cargosa, eso para un hombre es lo peor, aguantar a una cargosa.

Bueno, Nidia, dejo porque estoy muy cansada. Debe ser la calefacción, y las ventanas cerradas. Mañana el Ñato se la lleva a la oficina y desde allá la despacha. Acá no tengo correo cerca, son muchas cuadras para hacer a pie. Cómo extraño el correo del barrio de allá. Muchos cariños de tu hermana,

LUCI

Fíjate qué casualidad, anoche poco después de cerrar el sobre, llamó Silvia, ya te habrá dado mis noticias, espero. Son las seis de la mañana, cada vez me despierto más temprano, allá en Río a esta hora ya llegaba el diario y me lo leía íntegro mientras se hacía de día. El portugués era tan fácil, y además siempre venían noticias de la Argentina. Ahora ni el diario puedo leer.

El Ñato se va a llevar la carta a la oficina y desde ahí la despacha. Qué lástima que la vecina no se dio cuenta de hablar con vos antes de llamarme, así me daba noticias tuyas frescas. Pero ella es así, le habrá

137

dado un arranque y me llamó. Ella es así, no se fija en el gasto. Yo con las ganas que tengo de hablar con vos no me animo a semejante derroche de dinero, una piensa distinto, fuimos educadas de otra manera, y en aquella época en que ahorrar un peso valía la pena. Ahora con esta inflación nadie puede juntar plata para nada, será por eso que la gente gasta a lo loco.

Una nunca fue así, además acá los precios de las cosas están tan pero tan altos que a veces me dan risa. Al romper el sobre para agregarte estas líneas sentí que estaba dilapidando una fortuna, ¡no te imaginás lo que cuestan papel y sobre! Qué porquería está Europa, tan cara.

Me imagino que después de colgar te llamó, para darte mis noticias. Ella no tenía mucho que contar, así que no creas que es a vos que te está ocultando algo. El fin de semana a propósito aceptó una invitación para ir al campo, así que no sabe si él llamó o no. Pero parece que ya le importa menos, que está con los pies en la tierra. Me vas a matar pero me olvidé de preguntarle qué excusa le había dado para justificar aquello de la urgencia del llamado. En fin, me pareció de veras que está empezando a desilusionarse. Se le pinchó el globito.

Yo no soy psicóloga diplomada, pero lo que me parece es que ella se entusiasmó así tanto porque él al principio la necesitaba mucho, y ella lo iba ayudando a salir de ese pozo. Ella es así, lo que le gusta es ayudar a la gente, y por eso pone tanto empeño en su trabajo. Cuando la cosa cambió y él se iba a pescar por su cuenta, se le desmoronó todo. ¿Habrá sido eso? El tiempo dirá.

Observá bien el régimen, ahora que no estoy yo para vigilarte. Te besa,

Luci

Otra cosa más. Releí esta carta para ver si me olvidaba de decirte algo y noté que te cuento pura cosa deprimente. Una a veces dice cosas que no siente de veras, yo no estoy con miedo de morirme, como parece dar a entender la carta. No me importa morirme o no. Te juro. Lo que me da una tristeza terrible es las despedidas. Ya no aguanto una más. Yo creo que les da miedo morirse a los que creen en el otro mundo, por la cuestión del infierno. Yo no creo, todo se terminó acá y chau.

No me imagino qué más puede hacer uno en el otro mundo. Sé sincera, ¿vos querrías o no que hubiera otro mundo? Yo creo que vos tampoco, que nunca te pudiste engañar con eso, si no habrías sufrido menos con lo de Emilsen. Hay quien puede engañarse, nosotras no. Claro que volver a verla a mamá, eso sí sería lindo, pero te juro que en el fondo no creo nada, no me puedo ilusionar con abrazar de nuevo a mamá. La vida te enseña que hay que conformarse con las cosas buenas mientras duran, y no sufrir cuando se terminan. Mamá fue una cosa buena que nos tocó, y hay que estar contenta con que la tuvimos. Inútil ilusionarse con cosas imposibles, yo creo que eso no ayuda, a nuestra edad, ¿vos qué pensás? Chau otra vez.

Río de Janeiro, 15 de octubre de 1987

Querida Luci:
Hoy a mediodía llegó tu carta, no alcanzo a ir al correo esta tarde misma porque te acordarás que a las cinco las retiran y ya son las cuatro. Casi me salteo la siesta para poderte contestar más rápido, pero me vino un golpe de sueño terrible después de almorzar. Me estoy cuidando mucho más que cuando estabas vos, es que los de casa, de allá de Buenos

Aires, andan furiosos porque no me quiero volver y estoy sola acá. El terror de ellos es que me dé algo a la noche y nadie me pueda socorrer. Yo te quiero esperar.

Ya me llamaron dos veces por teléfono, no podían creer que yo estuviese tan decidida a quedarme. Les cuesta convencerse, a toda costa quieren que me vuelva. Por suerte, Luci, yo tengo mi independencia, económica quiero decir, y soy dueña de hacer lo que se me antoja. No me gusta tenerlos con el ay en la boca, pero se tendrán que aguantar. Si allá estuviera empezando el invierno no podrían decirme nada, pero para colmo ahora allá se acabó el frío, mi principal enemigo. Así que no te preocupes por tus plantas, que yo te las voy a cuidar hasta que vuelvas.

Sobre todo a la noche siento la soledad, pero miedo no me viene en absoluto. Es que a dos pasos está este chico tan competente. Se llama Ronaldo, y no me ha fallado un solo día hasta ahora, todas las tardes se aparece a las seis en punto y me acompaña a dar mi vuelta. Es muy conversador y le entiendo todo. Se dio cuenta cuál es la diferencia entre nosotras dos, que vos sabés mucho más portugués pero sos sordísima, y no lo querés reconocer. Mientras que yo soy al revés, tengo oído de tísica. A veces se pone a hablar ligerito y ahí sí no le entiendo un pepino, pero si conversa despacio no hay problema. Está encantado con ganarse estos centavos y yo me siento una ricachona, con mi acompañante de acá para allá.

Me parece que la cara no engaña, parece bueno y es bueno, ya me trajo las fotos de la esposa, una linda chica, gordita, blanca completamente, mientras que vos viste él qué oscuro es. Una cosa rara, Luci, si vos lo ves de día parece sí un mulato con bastante más de negro que de otra cosa, pero de noche le ves las facciones que son de blanco, y la piel oscura parece que fuera culpa de la falta de luz. A mí me gustan esas caras de negros ñatitos, caritas redondas, pero éste tiene otra belleza, ese óvalo afilado. Porque tendrás que reconocer, Luci, que es un chico precioso.

Ya me fijé en esos otros acompañantes que hay, el del viejito de la silla de ruedas que siempre veíamos, el de la vieja del bastón, y otros, todos con su uniforme impecable de enfermeros, pero ninguno es como éste, de aspecto. Claro que de uniforme blanco quedaría fantástico, pero es mucho gasto, y quién sabe cuánto tiempo me voy a quedar. Qué pocas ganas de irme, Luci. Tenés razón que Río es lindo.

Mirá, Luci, me dejaste pensando con lo que me decís del otro mundo. No sé qué decirte, nunca pienso en eso, ni se me ocurre. Creo que tenés razón, hay que conformarse con los buenos momentos vividos y nada más. Mirá, no sé, no quiero mentirte, en el fondo creo que pienso como vos, pero no te lo sé poner claro en palabras.

Mejor dejame que te cuente más de este chico. Yo creo que las desgracias de la familia de él me han ayudado a conformarme más con mi suerte. Es un chico del Nordeste, la zona donde no llovía, ¿te acordás? ¿O ya te sentís muy europea? Bueno, ahora ya llueve de nuevo, pero todo aquello es muy pobre y por eso casi todos los porteros de Río son de allá, y muchas de las sirvientitas. Allá no hay trabajo. Entonces él y la mujer se vinieron hace unos años, y él nunca consiguió trabajo de portero principal, con su vivienda para estar con la familia. Siempre estuvo de segundón, esos que lavan los pisos y todo lo peor, que no tienen vivienda, un rinconcito apenas en el sótano, donde también duermen los otros ayudantes de limpieza, si hay más de uno y de día ahí duerme también el portero de la noche, y claro, ahí no se puede llevar a nadie a vivir, un familiar.

Quiero decir que por eso la mujer estaba de sirvienta en el edificio de enfrente, donde tampoco podía ir a dormir él, porque eran dos sirvientas que compartían la pieza, ella y la niñera de los chicos de la casa. Así que ellos vivieron como dos años así, durmiendo separados. Y a ella le daban permiso para salir a la noche pero no tenían plata para pagarse hoteles, vos me entendés lo que te quiero decir, entonces llevaban una vida muy sacrificada. Y ella un buen día se volvió al Norte, como dicen ellos, no dicen nordeste. Se fue a vivir con la madre de él, en el campo. Y él se cansó de tantos baldazos y pasar el trapo y se puso de albañil un tiempo, y después se puso de portero nocturno, total ya no estaba ella para verla un rato a la noche.

Les pagan igual, al que trabaja todo el día que al que está sentado sin hacer nada toda la noche. ¿Y por qué? Yo se lo pregunté y no me contestaba nada. Y por ahí me lo dijo, ¡por el peligro! Es que a la noche puede haber asaltos y el vigía la mayoría de las veces no se la lleva de arriba. Aunque no ofrezcan resistencia a veces los malandrines matan al vigía para que no los reconozca, ahí al mostrar la policía las fotos de tipos prontuariados.

Ya sé lo que debés estar pensando, que esa expresión que tiene cuando una pasa a la noche es de miedo a los asaltantes. Si lo pensás bien no es así, ésos no son ojos de miedo. Cada vez que vos me hablabas de los ojos de los candidatos de la de al lado yo pensaba en este chico, porque desde que llegué a Río me había impresionado, por eso justamente. Son ojos tan grandes, pero siempre como acordándose de algo, lo que les echa sombra es algún pensamiento triste. La cara de él es bien ovalada, nariz bien derechita, poca cara, porque es ese óvalo afilado, así que le queda poco lugar en la cara y todo lo ocupan los

142

ojos, y la sombra no es de las pestañas nomás. Eso es lo raro ¿de dónde le viene ese sombreado? Ay, Luci, ¿de dónde va a ser? ¡De los recuerdos tristes, qué otra cosa puede ser! Que no se necesita llegar a los ochenta para tener recuerdos malos.

Él no me había dicho muy claro por qué la mujer se había vuelto, y es que había quedado embarazada. Y allá en la casa de la suegra tuvo una nena. Él se había quedado acá. Estuvieron varios meses sin verse, muchos, hasta que él no aguantó más las ganas de ver a la nena y abandonó el trabajo que tenía, que en esa época era de baldear los pisos y esas cosas. Y trató allá de sobrevivir con lo que cosecha la madre, que tiene un poquito de tierra. Pero no les alcanzaba. Y vino una epidemia de pulmonía, según él. Yo nunca oí que hubiese epidemia de pulmonía, no es una cosa contagiosa, ¿verdad? No sé qué me habrá querido decir. La cuestión es que la nenita de ya más de seis meses se les enfermó, y la llevaron al hospital en seguida, pero no hubo nada que hacer, ¿te das cuenta? Él después se volvió a Río solo. Yo creo que todo fue por la desnutrición. Y desde entonces que no la ve a la mujer, pero ella siempre le escribe, una linda letra, tenés que ver, aunque no le entiendo mucho.

Y ahí él está en su puesto de vigía a la noche, y ve pasar a las parejas, y a las familias, y todos tienen la dicha de estar juntos, y él nada de nada, ni un techo, ni una cama para dormir. Ése es el inconveniente principal del edificio de la Silvia, y es que no tiene más que el departamentito del portero, al fondo del garaje, pero para este pobre chico no hay nada. Ahora adiviná dónde duerme. Al principio me daba unas explicaciones vagas, pero ayer por fin dijo la verdad ¡en una obra en construcción! Pasamos por la puerta y yo no lo podía creer. Parece que es una obra medio parada por falta de dinero, y están haciendo algo, pero no a todo vapor, está la armazón hasta el último piso, que es donde este pobre cristo duerme de día, mientras los otros andan por ahí trabajando, que te imaginarás que no deben ser muy calladitos.

Pensar que una se queja, teniendo un departamento entero para disponer a gusto. El gran problema de ellos es ése, el techo, ya ves. ¡Cuánta miseria en un país tan rico! Pero peor la miseria nuestra, por el invierno. Bueno, yo no sé si esta carta te llegará antes de que vengas para acá, por las dudas te la mando. Vos quedate tranquila y reponete, no viajes si te sentís con pocas fuerzas, yo acá estoy tirando lo más bien, las plantas están regaditas y siempre toco la tierra, perdé cuidado, para ver si está seca. Claro que tampoco tiene que estar hecha un barro porque se pudren las raíces. Ya te digo, hacé las cosas con calma que yo de acá no me muevo, aunque los de Buenos Aires estén levantando presión.

Cariños y abrazos de tu hermanita,

NIDIA

Ing. Alfredo Mazzarini, 8 Französische/Strasse

Lucerna, 21 de octubre de 1987

Señora
Silvia Bernabeu
Rua Igarapava 120, Río de Janeiro

Estimada amiga:
Es muy triste la circunstancia que me lleva a escribirle. Sé que la unía a mamá un gran afecto. Me cuesta ponerlo por escrito, y darle la noticia de este modo. Mamá falleció hace cinco días, el pasado lunes dieciséis, de un paro cardíaco. Lo único positivo de toda esta tragedia es que no sufrió para nada, ni creo

144

que se haya dado cuenta de que el fin estaba tan cerca.

Yo había estado con ella todo el sábado y domingo y decidimos quedarnos en casa debido al mal tiempo, vientos y aguaceros, conversando de todo lo que nos preocupaba tanto, me refiero por supuesto al traslado. Mamá estaba muy calma y decidió no mantener la casa en Río, porque ya estaba acostumbrándose a la idea de vivir en Suiza.

El lunes a la mañana me desperté como de costumbre a mi hora, ocho de la mañana, para estar en la oficina a las nueve y media, y mamá como era habitual en ella ya estaba levantada, incluso se había desayunado. Ya casi listo para salir fui a la cocina a calentar el café, algo entibiado, cuando oí que mamá desde su cuarto me decía que se había recostado porque estaba un poco cansada. Fui a preguntarle qué sentía y ya estaba sin vida, recostada, las manos como acariciando la almohada, totalmente serena.

El médico llegó muy pronto, un vecino, pero yo ya me había dado cuenta que mamá se me había ido. Perdóneme, Silvia, si no le comuniqué la noticia por teléfono, por lo que sigue se dará cuenta de la complejidad de nuestra situación familiar, y es por eso que preferí esta vía de comunicación.

Lo de mamá es irreparable, y soy yo quien mejor lo sabe. Pero también está la muy delicada situación de mi tía Nidia, a la que hemos decidido no darle la noticia hasta que regrese a Buenos Aires, si es que cuando lea usted estas líneas ella no ha regresado ya. Cuando sucedió lo de mamá me puse en contacto naturalmente con los parientes de la Argentina, sobre todo con mi primo Eugenio, hijo de Nidia, y con el yerno de ella, Ignacio.

Usted debe estar al tanto de los problemas de salud de mi tía, la pobre quiso a toda costa viajar a Río para estar con mamá, contra el consejo de los médicos, dada su alta presión arterial. Pero ella insistió tanto que decidieron secundarla en el proyecto, pensando también que el invierno de Buenos Aires no le era propicio. Mi pobre tía había sufrido el año pasado la pérdida de la hija y eso la hacía buscar la compañía de mamá más que nunca.

El hecho es que esta pobre señora de ochenta y tres años se encuentra, o se encontraba, porque espero que ya haya regresado, en una ciudad donde ni siquiera conoce el idioma, sola, y con la posibilidad de que se entere por alguna vía extraña del fallecimiento de su única hermana. El hijo me llamó desesperado porque cuando habló con ella por teléfono mi tía Nidia se negó rotundamente a volver a Buenos Aires. Tal vez la excusa que le dimos no fue adecuada, debo admitir que fue idea mía: le propuse a mi primo que le dijese que mamá no volvería, que yo iría a levantar el departamento dentro de algunas semanas, y que por eso no valía la pena esperar sola en Río. Pero su respuesta fue terminante, que se encuentra muy bien, en vías de total fortalecimiento, que según mi primo fueron las palabras que ella empleó. ¡Total fortalecimiento!

Le hago partícipe de la situación para que, conociendo la gran humanidad que a usted la alienta, nos preste su apoyo. Por lo menos queremos que usted sí sepa la verdad, y no se haga conjeturas sobre la extrañeza de la situación. La esperanza de mi primo es que la soledad abrume a mi tía y decida volver, si es que no lo ha hecho ya. Creo que eso es característico de tal edad, una cierta testarudez de primer momento, que después va cediendo a la razón. La principal excusa que ella da es cuidar las plantas del jardincito de mamá.

En fin, conversando con usted ya me estoy sintiendo mejor, hasta casi me convenzo de que mi tía estará en Buenos Aires cuando usted lea estas líneas. Porque la única explicación lógica a la actitud de mi tía es que se niega a creer que mamá no volverá a Río, y que la sigue esperando porque simplemente no acepta la idea de perderla con el traslado a Suiza. ¡Cuánto peor es la realidad! Pero el hijo de ella teme mucho al choque emocional que significaría decirle la verdad mientras ella esté sola en Río, y contempla como última alternativa ir a buscarla y decírselo personalmente.

No me queda más que saludarla y agradecerle desde ya cualquier ayuda. Incluso si se presenta algún problema especial no vacile en llamarme por teléfono a cobrar aquí. Reciba la sincera amistad de

ALFREDO MAZZARINI

Capítulo nueve

Lucerna, 27 de octubre de 1987

Querida tía Nidia:

¿Cómo estás? Por aquí con algún problema porque mamá sigue indispuesta y debe guardar cama. Es ésa la razón por la cual no te escribe, como te expliqué ayer por teléfono. Perdoname si no fui muy locuaz, es que me sorprendió tu llamado, aquí hay una diferencia de cuatro horas actualmente con Brasil y a esa hora estaba ya durmiendo. Además sabrás que las tarifas desde Brasil son muy altas, mucho más que si hablo de aquí para allá. No te pasé a mamá porque estaba durmiendo y además totalmente afónica como te expliqué. De todos modos fue una gran alegría escuchar tu voz y saberte tan contenta.

El hecho de que Río te haya sentado tan bien a la salud me alegra pero también me preocupa porque como te expliqué nosotros hemos decidido levantar el departamento. Después de este primer contratiempo de salud mamá se encontrará muy bien en este clima, se lo han asegurado los médicos, y yo viajaré a liquidar todo lo de allá hacia las fiestas de fin de año, aprovechando que aquí se cierran las oficinas por dos semanas.

Mamá te manda a decir que no te preocupes por las plantas, que ya desgraciadamente es inútil esperarla, y no te escribe porque se le ha recetado total

149

descanso. A los dos, a ella y a mí, nos preocupa mucho que estés ahí sola, de modo que comprendemos perfectamente si volvés de inmediato a Buenos Aires. Más aún, nos tranquilizaría mucho que lo hicieses a la brevedad posible.

Por cualquier problema práctico ponete en contacto con mi ex secretaria, Teresa, que es muy eficaz y te conseguiría reserva y te llevaría al aeropuerto con todo gusto. El teléfono de la oficina es 511-1049 y el de la casa 287-8615.

Bueno, tía querida, no me queda más que mandarte un fuerte abrazo. Si para fin de año resuelvo todo rápido en Río, lo de la puesta en venta de los departamentos y demás cosas, me voy a dar una escapada a Buenos Aires. Espero verte allá entonces, te quiere mucho tu sobrino,

ÑATO

Río, 4 de noviembre de 1987

Querida Luci:

Ayer recibí tu contestación, o mejor dicho la del Ñato. ¡Qué cortita! Apenas había empezado a leerla que ya se me terminó. La próxima tuya que sea doble, porque ya me estoy paladeando el verano, esperando carta tuya a mediodía y cuando llega me siento en el jardín bien fresco porque ya me lo regué tempranito, y a la sombra de la palmera me voy a matar de risa de tus cuentos del frío de allá.

¡Embromate!, eso te pasa por ser tan pegote del hijo. ¡Mandalo a freír buñuelos! Hacé como yo que me emancipé, como dice mi nieto más chico, que él quiere emanciparse de los hermanos mayores. Siempre lo repite, porque les tiene que rogar que lo lleven a alguna parte y no le dan bolilla porque es más chico. Siempre me dice eso: Abuela, vas a ver que muy pronto me voy a emancipar.

Párrafo aparte para tus benditas plantas; están bien, llovió y se lavaron bien las hojas. Pero ahora que nombré buñuelos se me vino el agua a la boca. Es que, Luci, al estar sola, me cocino poco y nada, y ando regiamente de las digestiones por eso, pero me paso el día pensando en comidas. Eso es propio de la persona con hambre atrasada. Y el que me saca siempre ese tema es el chico, el Ronaldo, que me hace reír hablándome de comida, porque me quiere convencer que haga algún plato de los del Norte, como dice él, y a mí me parecen muy indigestos. Pero me convenció de hacer un pescado a las brasas muy sano, sin ponerle la salsa, que se le puede agregar o no, es optativo. Por lo picante.

Pero yo sé que estarás deseando que te cuente de la de al lado, y me vino a la mente porque escribí más arriba la palabra picante. Y no te imaginás las novedades que te tengo. Hacía tiempo que no me reía tanto, cuando me contó este chico unas cosas que bueno... vos vas a poner cara de quien no cree, a mí esas cosas me hacen reír, y deben ser ciertas, ¿para qué iba a mentir el chico?

La risa me viene porque nosotras, sobre todo vos, te preocupabas tanto por la soledad de ella. Bueno, este chico me ha tomado mucha confianza y me hizo prometer no contarte a vos, pero en fin, allá lejos no podés chimentarle a nadie más, así que te lo cuento sin ningún remordimiento. Bueno, agarrate, ¿te acordás que vos me contaste de dos candidatos que ella había tenido? Te estoy hablando del argentino representante de productos químicos y del surfista.

Bueno, Luci, no es cierto que no los vio más. ¡La vienen a visitar a la noche tarde! Juntos no, claro, eso sería el colmo. Se aparecen no muy seguido, una vez cada tanto, más o menos una vez cada quince días. El Ronaldo me dijo que uno era surfista, así que sobre ése no hay duda, y que el otro es uno con el mismo acento que nosotras, y que viaja, y a veces le ha traído algo del Norte, esos dulces tan empalagosos de allá. Claro, porque como se aparece tarde a veces el vigía ya está medio dormido, y para congraciarse le trae algo, como una propina.

Según este chico esos dos nunca dejaron de venir, no se acuerda de que ella haya pasado mucho tiempo sin recibir a nadie. Lo que pasa es que los candidatos le caen muy tarde y nadie del edificio los ve, por eso ella tiene esa fama de seria. Y yo le pregunté cuando estaba el hijo, si los tipos venían lo mismo, y me dijo que ella bajaba y se encontraba con el surfista o con el otro en la esquina y se tomaba un taxi con el surfista, no con el otro porque tenía coche propio.

¿Y adónde se irían?, le pregunté al Ronaldo, preguntándole así medio distraída, pero pensando que se iban a algún bar de esos que están de moda, o a comer algo a algún lugar que cierra tarde. Y el chico me dijo ¡se iban al hotel! Así directo me lo dijo, aunque la verdad es que no creo que él tuviese modo de saberlo seguro. Pero es lo más probable.

Y nosotras dos preocupadas por ella. Y eso no es todo, hay otro más que viene de vez en cuando, pero por la descripción es brasileño y de edad bastante indefinida, así que puede ser cualquiera. Ya sé lo que me vas a decir, que es el Ferreira aquel. ¡Y no! ¡Es otro! Porque al Ferreira este chico lo tiene bien fichado, y no vino más, después de ese lunes que apareció gracias a mí. Por lo menos no vino a la noche, y ella tampoco me lo nombró más. El chico nunca lo vio pero lo conoce porque yo se lo describí, pelado y un poquito panzón.

Nunca los tipos se quedan a dormir, se van más o menos dos horas después de llegar, calcula el chico. Y lo mismo cuando salían porque estaba el hijo en

Río, ella nunca volvía después de las dos de la mañana. Así que, Luci, te gané la apuesta, yo te jugué cualquier cosa que ésta era una de hacerse programa fácil, qué lástima que no te jugué plata, porque entonces te limpiaba.

Y eso no es todo, antes de ayer me habló por teléfono para preguntarme cómo estaba, porque debo admitir que conmigo es muy atenta, y en seguida yo le saqué el tema del Ferreira, antes de que me colgara. Y me contó que nada, él no la llamó más, y ella siempre lo recuerda pero no lo piensa llamar porque está claro que la cosa no marcha. Y yo fui bastante atrevida y le pregunté cuál era la razón, según ella, de que él se mostrase tan retraído. Y ella suspiró bastante hondo y me anunció que algo debe estarse preparando, siente que puede haber una sorpresa pronto; ella lo siente en el aire, puede ser una sorpresa muy buena.

Si me animo le voy a pedir al Ronaldo que me averigüe un poco de este otro misterioso. Pero vuelvo a la conversación con la vecina, me confesó que cuando alguien le empieza a gustar mucho, pero mucho, ella siempre se aterroriza porque sabe que va a terminar mal. Aunque lo mismo hace todo lo posible por ganar la batalla, nunca se da por vencida de antemano. Pobre muchacha.

Perdoname si no te tengo más noticias de ella, la verdad es que me invitó a la casa para ir a charlar a la noche pero a esa hora ya me siento bastante cansada. Ahora te explico. Es que me dio tanta lástima lo que me contó este chico de la familia de él en el Norte que para distraerme compré tela y le estoy cosiendo algunas cosas para la mujer, pobre chica. Y entre eso y dar una vuelta con él a la tarde no me queda mucho combustible en el tanque, a la noche me viene sueño. Todo se me ocurrió porque el chico tuvo el otro día una pelea terrible con el administrador del edificio y se quería volver al Norte, plantar todo. Parece ser que le contestó mal a uno de los propietarios y el administrador le exigió que le pidiese disculpas y el chico se negó.

Me lo contó cuando vino a la tarde a dar nuestra vuelta, y a despedirse porque ya se quería ir al Norte, ¡qué poca cabeza, apenas con los ahorros que tiene le alcanzaba para el pasaje! Y ni un centavo para llevar a la mujer y a la madre. Yo entonces le dije que le explicase todo a tu Silvia, que ella debía saber muy bien qué clase de persona era ése que se le insolentó. Dicho y hecho. Ella ahí habló con el administrador y le explicó muy clarito que se trata de un inquilino sinvergüenza, bien conocido en el edificio por asqueroso y prepotente.

Bueno, cuando estaba el chico pensando en volverse al Norte se me ocurrió que le podía coser algo a la chica, pero la verdad es que no me iba a dar el tiempo. Pero por suerte todo se arregló, y el chico no se va, y hasta puede suceder que ella venga un día. ¿Por qué no?

Bueno, mañana sigo unas líneas más antes de salir para el correo. Un detalle: está haciendo calor y las hojas de la planta atigrada se empiezan a inclinar si no les echo un poco más de agua a la tarde. Por eso a las cinco y media, antes de arreglarme para salir a dar la vuelta, les echo su agua fresca. Además de la clásica de la mañana, claro. Cuando vuelvo del paseíto ya están de nuevo bien levantadas. Hasta mañana, que te agrego alguna línea.

5 de noviembre. Anoche fue movidísima la cosa. Llamaron de Buenos Aires muy preocupados por mi demora para volver. ¡Si supieran que cada día tengo menos ganas de ir para allá! Resulta que al acercar-

se Navidad no habrá lugares en los aviones, y quieren que haga ya la reserva para la semana próxima. Yo ni loca. El Nene se puso muy nervioso y se quería venir para acá a buscarme, si era que lo que me daba miedo era viajar sola. Pero lo que más los joroba es que yo esté sola a la noche, por si me pasa algo. Así que les prometí que me iba a agenciar a alguien. Yo ya tenía una idea, pero primero dejame que te cuente de la segunda llamada de anoche. Ya ves lo solicitada que ando.

Bueno, yo estaba muy disgustada con la llamada del Nene, y ya dispuesta a agarrar papel y lapicera para cantarle unas cuantas cuando sonó el teléfono. Eran casi las diez de la noche, así que primero pensé en vos, claro, pero en seguida saqué la cuenta que allá serían las dos de la mañana. Y mejor que no fueras vos en ese caso, porque a las dos de la mañana no se agarra el teléfono para dar buenas noticias. La segunda persona que se me ocurrió fue el Ferreira, pero no era él tampoco. ¡Era tu Silvia!

Andaba un poco caiducha y me llamaba a que fuera a conversar un rato. Como la sentí un poco insistente fui, total me mandó al Ronaldo para llevarme y después también el amoroso me acompañó de vuelta. Ay, qué pena me da ese chico, sentadito ahí toda la noche en ese jolsito de entrada. Me da más pena que la psicóloga, o no, ella también es una pobre desgraciada.

Te cuento: me llamó porque se sentía sola, dice que de vez en cuando le viene un ataque de desesperación, pero que ahora está viendo más claro todo el panorama. Más que nada lo extrañaba al hijo y ahora a lo que se está acostumbrando es a la idea de que ya nunca más va a volver permanente. Y ahora agarrate fuerte: me contó que está volviendo a ver a otros festejantes de antes, me lo confesó. Y que está dándose cuenta de que es mucho más práctico a su edad, y para su profesión, ver a gente así, que no le significan un compromiso demasiado grande. Aunque en un momento se quedó mirándome fijo y largó algo raro: que eso ella lo decía de la boca para afuera, pero, ¿y si él volvía y le proponía un vuelco total en sus vidas? Ahí ella podía hacer quién sabe qué cosa. Porque él había pasado a tener ese poder tan grande sobre su persona.

Pero en general yo la encontré bien, y seguro que esta mañana se despertó mejor todavía porque estábamos conversando, yo ya bastante atacada de sueño, cuando sonó el teléfono y contestó en portugués, así que era o el surfista o el que no conocemos, y estaba muy claro de que tramaban un encuentro al rato. Ahí entonces me tuve que venir, por discreción, sin dejar bien aclarado lo que yo le quería consultar, y era si me aconsejaba alguna chica conocida, alguna sirvienta, del edificio de ella, o del nuestro, para contratarla que venga a dormir a casa. No te parece mal, ¿verdad?

La verdad es que yo no pensaba tomar a nadie por el momento. Más adelante, sí, pero después de la llamada del Nene decidí por lo menos darles ese gusto, de saberme acompañada a la noche. Y ahora te voy a contar algo que me tiene muy contenta, y es que se me ocurrió una idea fantástica. Mirá, Luci, ustedes van a vender el departamento, o mejor alquilarlo, mientras ven cómo andan las cosas en Suiza. ¿Y qué mejor que alquilármelo a mí? Porque a mí este clima me sienta mucho. Y por eso pensé que el chico de al lado podría traer a la mujer y ponerse a vivir regiamente en la otra pieza, que ahora que vos no estás no se me ocurre entrar nunca, con vos todas las tardes ahí nos veíamos alguna película.

Yo me traje el televisor a la pieza nuestra, el aparato de video no, porque así me obligo a ver la televisión de acá y practicar portugués. Por suerte el oído no lo he perdido y te diré que cada día entiendo más. Así también tengo un poco más de tema si me encuentro con alguno, porque todas las señoras de acá ven las telenovelas de la tarde. Yo les hablo en castellano, pero me entienden todo, el chico igual, aunque con él no me da vergüenza y me largo a decir cualquier macanazo en portugués.

Pero con la mujer de él sí me gustaría ya hablar un poquito mejor, así podríamos conversar largo y tendido. Siempre me olvido de preguntarle al chico si ella sabe hacer esas labores del Norte, ¡los bordados! Eso sería brutal, que me enseñase el punto ese tan difícil, dieron por TV una cosa corta donde se veía cómo clavan ese montón de agujas en una especie de pelota de género, y de ahí van sacando el diseño, una preciosura. Y entendí bastante de esa película de actualidades.

Ay, pero qué pavota soy, si eras vos la que me decías que viera un poco de televisión en portugués para aprender. Yo no quería saber nada de eso, ¿te acordás? Es que en los primeros viajes me sentía muy acobardada con el idioma nuevo. Pero esa otra pieza entonces yo no la uso, y ahí que se arreglen ellos a dormir, ni siquiera hay que comprar cama, que está ese sofá que se convierte en cama doble. Lo que haría falta es una frazadita más. Hay para dos, pero para tres no.

Yo no le dije nada al chico todavía para no ilusionarlo, hasta que esté bien segura. Por eso te va esta carta. Te estoy pidiendo permiso para traerla, a ella y al chico, a vivir acá. Pero también te estoy proponiendo alquilarte el departamento, o comprártelo. Yo no tengo líquido en este momento, pero vendo el departamento que tengo para renta en Buenos Aires, qué me importa que se pierda algo en la transacción. Lo que importa es la salud.

¿Qué más? Fijate qué largo de carta, vos mandame una igualita, aunque seguramente no tendrás muchas novedades, sin salir por el frío. Por las estampillas no te preocuparás porque la despachan desde la oficina del Ñato. Que sirvan para algo esas multinacionales. Me olvidaba: anoche cuando el chico me acompañó de vuelta le pregunté a él si conocía a alguna chica de confianza en el edificio. Y me dijo en seguida que en el de él no, pero sí en el nuestro, hay una niñera que tiene que dormir en el mismo cuartito con la sirvienta de verdad, y vos viste lo chiquitos que son esos cuartitos de servicio.

Él no la conoce a la chica niñera, mejor dicho, nunca habló con ella, pero por otros se enteró de que está llegada hace poco del campo. El chico tampoco la conoce a la otra, a la sirvienta, así que no tiene seguridad de que estén incómodas en la piecita. A lo mejor los patrones la hacen dormir en la sala con el bebé, vaya a saber. Pero yo estoy esperando que se hagan las nueve de la mañana, hora prudencial, para ir a hablar con la dueña de casa y preguntarle si ella no aceptaría un arreglo de esos.

¿Qué más quiere que le saque de encima una persona a la noche? Porque estos departamentos no son tan grandes, para vos y yo sí, pero para una familia con chicos y sirvienta y niñera es una locura. Hasta le voy a proponer que le doy la cena yo, a la chica, total cuando ella vuelve del trabajo, la dueña de casa seguramente quiere tener todo el tiempo en brazos a su bebé. Y ya la niñera más que nada se le vuelve un estorbo.

Pero esto sería nada más que un arreglo provisorio. Lo que realmente quiero es que venga del Norte la esposa del chico, que se llama Wilma. El chico me mostró las cartas, parece un alma de Dios, pobrecita.

Ay, Luci, anoche nos quedamos mucho rato hablando, a mí me parte el corazón este chico. Porque cuando estás con él no tiene nada de tristón, es un verdadero cascabel. Los ojos tristes se le ponen cuando está solo. Y él se cree, agarrate bien fuerte, que tuvo mucha suerte en la vida, y por la calle cuando vemos a algún mendigo, o a un borracho, o linyeras, de los dos sexos, hombres y mujeres, él siempre se siente como que la vida le dio mucho. Yo no le digo nada, lo dejo que hable, porque de veras hay veces que me parece que me está tomando el pelo, y no es nada de eso, él habla en serio. Por ejemplo, siempre ahora me cuenta de cómo era el padre, y la madre, que le vive, eso ya te lo conté. El padre no, murió hace tiempo, y ahí empezaron todos los guays.

El padre era peluquero en el pueblo y la madre cocinera en una especie de estancia, a pocos kilómetros de ahí. Trabajaban los dos y no les faltaba nada. Sobre todo hijos, ¡qué manera de tener hijos esta gente! Y el Ronaldo es uno de los más chicos. Y yo creo que era la madre la más luchadora, porque dice que volvía a la tardecita a la casa y les hacía la comida a ellos y después cosía alguna cosa, ¡qué santa! El chico la quiere mucho, pero más todavía me parece que lo quería al padre. Dice que todos se acuerdan de él todavía en el pueblo, y sin consuelo, que nadie se resignó a que se haya muerto.

Porque era un hombre muy alegre, y el organizador de los campeonatos de fútbol de los chicos, y de concursos de atletismo, y de fiestas, y de bromas que le hacían a algún incauto, y el Ronaldo lo adoraba pero parece que todos los otros chicos también. Pero el padre no estaba muy contento con este chico, porque era muy mal alumno en la escuela. Yo le pregunté por qué le daba ese disgusto al padre, y el chico con toda sinceridad me dijo, y se le llenaron los ojos de lágrimas, que él no se podía quedar quieto a esa edad, que tenía siempre que estar haciendo algo, saltando, corriendo, que no podía estar en el banco sentadito porque le corrían hormigas adentro del cuerpo y por eso se escapaba a remontar el barrilete, o jugar a la pelota, porque tenía eso, hormigas en el cuerpo. O el diablo.

Y la madre ahorraba todo lo que podía, no quería comprar ropa hecha, le hacía las camisas al padre, y los pantaloncitos a ellos, porque parece que con el calor era lo único que usaban, de chiquitos. Todo eso yo se lo conté a Silvia, hablando de este chico, que me daba tanta lástima, que no tuviera nada en la vida, y ella ahí me explicó muchas cosas, del Brasil, que tuvo años de mucho progreso, antes que los militares tumbaran todo como allá, vos sabés, y la gente ahorraba y luchaba para tener sus cosas, lo mismo exactamente que allá, ¿te acordás? Y en esa época valía la pena ahorrar porque no había esta inflación de ahora y la gente tenía mucha ilusión de progresar.

Y todo en esa casa era pura alegría, y trabajo, de más está decirlo, pero trabajo con esperanza, vos me entendés porque en la Argentina pasó más o menos lo mismo. Por eso según Silvia este chico es un poco producto de esa época, los chicos de ahora ya no son así, éste ya tiene veintisiete años, por eso alcanzó a oler otra época mejor, y en el fondo cree que el futuro va a mejorar, y conoció la dulzura del hogar, y por eso yo creo que no pierde la esperanza de construirse uno.

Ahora lo que pasó con el padre es terrible, se murió de una enfermedad corta, y ahí todo empezó a andar mal. Este chico estaba apenas haciéndose hombrecito, la edad más delicada, cuando tuvo esa pérdida. Y después lo increíble, la madre dejó venir a un tipo a la casa, a ocupar el lugar del padre. Parece que había quedado inconsolable, y coincidió con el principio de la sequía, y la estancia quedó sin peones, y ella perdió el trabajo de cocinera, y dejó a ese hombre venir a la casa, que era una especie de albañil, o medio constructor, y de a poco los chicos se fueron yendo a trabajar a otras partes, porque la sequía estaba brava y peor que nada este tipo era un padrastro de lo peor, no con ellos, lo único que pedía era silencio, no los dejaba tocar la radio ni nada, a las ocho de la noche se acostaba y todo tenía que quedar en el total silencio. Y a los chicos ni les hablaba, no decía ni buenos días ni buenas noches.

Pero con la madre era un perro, y los chicos no estaban seguros que le pegaba, pero más de una vez los hijos llegaban y encontraban algo roto ¡porque el tipo tiraba cosas contra la pared para desahogar los nervios! y encontraban a la madre llorando, y tapada siempre la espalda, que es donde estos tipos prefieren pegarles a las esposas, me dijo el chico. Y según él los demás de la cuadra donde viven piensan lo mismo de ese tipo, que es mejor perderlo que encontrarlo.

Y el chico cuenta todo eso, pero se considera lo mismo que él tiene mucho en la vida. Debe ser porque no pierde la esperanza de que van a volver los buenos tiempos, él a la esposa la adora, y si todo sale bien no va a pasar tanto tiempo que ya va a estar acá. A lo mejor es que él se da cuenta que encontró una persona dispuesta a ayudarlo, aunque no le diga nada, y por eso tiene esa alegría tan grande encima cuando charlamos.

De veras es como un cascabel este chico. Siempre tiene algo que contarme, de comidas le gusta hablar más que de cualquier otra cosa, y de la mujer, que dice que es la más linda y buena que existe en el mundo, y por eso él tiene que agradecerle a Dios, porque le mandó a esa chica después de haberle dado los padres más buenos del mundo. Y adora también a la hermana mayor, que fue la que un poco lo terminó de criar, porque se lo llevó para la casa de ella cuando ese padrastro empezó a echar todo a perder.

Pero yo te querría explicar bien por qué este chico es tan como es y no me salen las palabras, no me vienen a la mente, para explicarte mejor. Es contagiosa la alegría de él. Un poco debe ser por los dientes, vos vas a decir que estoy loca, pero es que tiene unos dientes blancos perfectos, y se sonríe por cualquier cosa, entonces esa boca de chico joven y sano despide no sé qué, como una luz, con los dientes inmaculados y los labios muy coloraditos y trompudos que se estiran hasta las orejas cuando se sonríe.

Ayer nos sentamos en uno de esos bancos de la playa para conversar un poco en paz y yo me quedé mirándolo fijo un rato y me pareció que iba cambiando, me hablaba de los bailes que había en el pueblo de él, y cómo la empezó a cortejar a la mujer, que nunca andaba sola, siempre con una parienta, y me pareció que se iba poniendo cada vez más lindo, que esa luz que te despide de adentro iba aumentando, que no era una persona la que hablaba, con tanto cariño, de cómo era todo, de lo lindo que era todo en aquella época, y que va a ser otra vez, porque tuvo la suerte de tocarle una vida linda, y parecía un ángel del cielo, Luci, no un muchacho. Yo me quedé impresionada. Es que yo no soy loca, Luci, yo no veo visiones, pero te juro por la memoria de Emilsen, que es lo más sagrado para mí en esta vida, que ese chico se iba transformando cuando hablaba, y no era más un negrito cualquiera, que es lo que es, era un ser de otro mundo.

Pero, ¿cómo puede estar tan contento si cuando

162

se va a las seis de la mañana de ese jolsito que es como una cárcel, sin ventilación de ningún lado, tiene que caer a esa obra en construcción? ¡Y ya me la mostró! Le insistí tanto que me llevó, no te lo iba a contar porque vas a decir que estoy loca. Y había unos muchachotes ahí y él no quería entrar, pero yo les hablé y dije que quería ver cómo era la construcción, que tenía interés en comprar un departamento ¡y me hicieron dar toda una inspección!

Yo lo que quería ver era dónde estaban las camas, en qué sucucho dormían, y casi me muero, porque en un rincón, donde va a ser el garaje, en el sótano, hay unos papeles tirados en el suelo, y unos trapos. Y algunos tienen colchón y otros ni eso, es algo que ni siquiera los ratones aceptarían como cueva.

Él al principio estaba con mucha vergüenza de los otros, pero después seguimos haciendo el «tour de luxe», como dicen los atorrantes ladrones de la agencia que nos cobraron cuarenta dólares por la vueltita aquella a los cerros de Río. Y hasta con mucho orgullo me mostró que él sí tiene colchón. Se lo encontré tirado una noche que venía atravesando la plaza, la que está frente al correo. Y se lo llevó cargado hasta la obra que son como diez cuadras. Pero es que tiene mucha maña en las manos, él me mostró cómo lo enrolló y se lo puso encima de la cabeza y chau. Yo entonces le dije que no le creía, porque él nunca pasa de noche por esa placita. Y ahí confesó que había noviado con una sirvientita de por ahí, pero que ahora no la ve más. Fijate qué pícaro, siendo casado. Pero con esa juventud y con este aire de mar, te imaginarás cómo le hervirá la sangre al pobre chico.

Y después me hizo subir un montón de pisos para mostrarme donde él se hace la comida. No, ya estábamos arriba, porque él y el otro clandestino duermen escondidos del ingeniero ahí arriba. Bueno, con unos ladrillos hizo una cocina, y enciende carbón adentro. ¡Cocina! Apenas un cajoncito de ladrillos. Creo que no me explico bien, puso unos ladrillos de un lado y otros de otro formando un cuadrado. Y al lado había tirada una botella vacía de cerveza con que machaca esos porotos negros, y un paquete del infaltable arroz. Él y ese otro comen aparte, otro que tampoco pertenece a la obra pero que lo dejan dormir ahí. Parece que todos se llevan muy bien.

Según este Ronaldo, pobrecito, hay dos clases de obras en construcción, las que tienen lo que nosotros llamamos sereno y las que no. Donde hay sereno siempre hay pelea porque los ingenieros le hacen cumplir órdenes de que no se puede hacer esto y lo otro, a deshoras, y anda todo el mundo de malas pulgas. Mientras que en obritas más chicas como ésta, donde el presupuesto es bajo y no se pueden pagar sereno, o vigía como le dicen acá, todo el mundo se siente más a gusto, después de la hora de trabajo todos están en paz, porque no hay un soplón que cuenta todo al ingeniero.

Así que parece que ahí son muy unidos. Hubo uno pendenciero y un domingo atacó al Ronaldo con una botella rota y todos lo defendieron y al hombre le dio vergüenza y se fue. Dicen que era un hombre bueno pero que el alcohol le hacía mal, se transformaba en otro. Esperemos que no se le aparezca ahí en el jolsito del edificio de al lado, con una botella rota, que es lo más fácil de conseguir.

Me da miedo ese trabajo, expuesto toda la noche a cualquier sinvergüenza que ataque el edificio. Pero yo creo que teniendo donde dormir no le va a ser difícil encontrar otro empleo, de día. Aunque me gusta por otro lado la idea de que trabaje de noche, así la esposa se queda charlando conmigo hasta que llega la hora de dormir.

Bueno, ya van a ser las nueve, voy a hablar con la patrona de la niñerita antes de que vaya al empleo. Y después me camino despacio hasta el correo.

Mil cariños al Ñato, agradecele la cartita, escribí pronto y largo, te quiere tu hermana y futura inquilina, ¡no se te ocurra ponerme peros!

Chau,

Nidia

Río, 4 de noviembre de 1987

Querido Nene:

Ayer tuve el gusto de escuchar tu voz. Te noté un poco enojado conmigo, y espero que ya se te esté pasando.

Ante todo te tengo una buena noticia: a partir de esta noche viene a dormir conmigo una muchacha. Parece buenísima, trabaja de niñera en este edificio y acabo de hablar con la patrona para proponerle el negocio. La mujer agarró viaje encantada, y ahí sobre el pucho la llamó a la niñerita y le explicó en buen portugués lo que yo quería.

La chica estaba enloquecida de contenta, porque va a ganar unos cruzados más y va a dormir en una cama. ¿Adiviná dónde dormía? En un colchón tirado en el suelo de la cocina. Porque la piecita de servicio no tiene lugar más que para un catre y bien angosto para la sirvienta. Yo ya sabía cómo eran las dependencias de servicio de este edificio.

Así que quedate tranquilo que de noche ya estoy acompañada. La chica es muy jovencita, catorce años, aunque parece una señorita ya formada, preciosa la chica, bastante oscurita, de ojos verdes muy claros, le hacen un contraste increíble con el cutis. Pero de veras no sabés el color de esta chica, no es ese color mate lindo de las morochas argentinas, no, es más tirando a bronce, como cuando una chica argentina toma mucho sol en Mar del Plata y parece que es una fruta reventona, de tanta salud. Pero ésta tiene ese color así de manera natural, porque si no yo le notaría en seguida la marca de la malla.

Bueno, querido, hablemos un poco más en serio. Vos no te podés imaginar lo sorprendida que estoy con este repunte mío de salud. Me parece otra vida. Me parece que no soy yo. Y la salud no tiene precio. Así que te voy a proponer una cosa.

No te me asustes, pero es una decisión bastante drástica. Me quiero quedar acá y me voy a quedar acá. Es por vos que lo hago. Porque si vuelvo y me pasa algo feo te vas a sentir culpable vos.

Ya le escribí a Luci pidiéndole como gran favor que me alquile el departamento. En realidad soy yo la que le hago el favor a ella. Además de esta chica que va a venir a dormir ya tengo contratado a un señor muy serio, que trabaja como sereno en el edificio de al lado, para acompañarme a dar una vuelta larga todas las tardes, así cumplo con lo recetado por el médico, en materia de caminatas.

A partir de mañana ese señor también me va a acompañar una vez por semana a hacer las compras de la feria. Para mí es una fiesta ir ahí, ¡qué colorido de frutas y verduras!, sin contar los puestos de flores, que son dignos de una postal. La arman una vez por semana, desde la mañana temprano hasta mediodía. Con Luci siempre íbamos y nos encontrábamos un chico ahí en la feria misma, que está lleno, esperando llevarles las cosas a las viejas, y a las no viejas también, porque se te juntan una de paquetes que quién los sujeta.

Pero a mí me parece mejor ir con este señor mismo, que es más de confianza, y necesita ganar algo. Más adelante a la feria y al supermercado me gustaría que me acompañase una mujer, que tienen más paciencia, ya tengo una en vista. Pero eso es para más adelante, por el momento este señor me va sacando de apuros. La niñerita no podría ir a esa hora a la feria conmigo porque tiene al bebé que atender. Aparte de todo eso, por supuesto, sigue viniendo la muchacha por horas, dos veces por semana, para hacer limpieza como cuando estaba Luci. Ya ves que estoy atendida de lo mejor, y además acá el servicio es muy bueno y barato.

Ahora algo más serio: si Luci necesita vender este departamento porque tienen que comprar allá en Lucerna, o lo que sea, quiero comprárselo yo. Andá pensando cuál sería la manera mejor de hacer una operación de ese tipo, si se puede hacer sacando algo del dinero que tengo invertido en la empresa nuestra, o si hace falta vender el departamento de la calle Irala. Yo te dejo que elijas vos la manera de hacerlo. Pero que quiero asegurarme el departamento, de eso ni se discute. Es un caprichito, el único que me he permitido en mi vida, siempre al servicio del ahorro y la economía casera. Pero mi salud creo que vale la pena.

De todos modos es una buenísima inversión, la propiedad en Río siempre va a valer, es un lugar muy procurado.

Bueno, por hoy creo que te he dado bastantes noticias, cariños a tu familia, y a Ignacio y a los chicos de Emilsen. ¿Cómo anda Ignacio? Antes la idea de que volviese a formar un hogar me parecía un sacrilegio, una ofensa imperdonable a la memoria de Emilsen, pero ahora estoy pensando que es lo mejor que podría hacer, pobre muchacho. Pero que espere un poco, ¿verdad? Cincuenta años es plena juventud, así que no tiene ningún apuro, que se fije bien con quién se mete.

Pensá que a esa edad yo ya había quedado viuda, también yo. Pero una mujer es diferente, y en aquella época. Pero la verdad es que a mí jamás se me pasó por la cabeza volverme a casar. Tu padre para mí era el único hombre que existía, y nadie podía ocupar el lugar de él.

Ya te estoy dando demasiada lata, me voy caminando despacito al correo, con mi regia sombrilla, por si el sol golpea fuerte. Y volviendo a Ignacio, los hijos ya están grandes, le queda el más chico todavía de pantalón corto, pero cuando se quiera acordar ya se habrá hecho un hombre él también, ¿y qué va a hacer el pobre Ignacio solo? Vos eso lo comprenderás porque tu hija ya está hecha una doctora, y tiempo para ustedes y para la abuela hace rato que no tiene. Así es la vida, yo también cuando me casé a mamá empecé a verla bien poco, pobrecita. Te quiere tu

Mamá

Postdata:

Hijito, prometeme que nunca más me vas a llamar así enojado. Te diré que te me insolentaste bastante. No lo hagas más, que después quedo muy aplastada. En más de cincuenta años nunca nos peleamos, imaginate qué bonito sería una ruptura ahora, a esta altura del partido.

Otra cosa. Decime la verdad, esa muchacha grande que están nombrando tanto, que va tanto a tu casa, ¿no tiene que ver algo con Ignacio? No me ocultes nada, que es peor. Además, yo sabré comprender.

Capítulo diez

Silvia Bernabeu, Rua Igarapava 126

Río de Janeiro, 12 de noviembre 1987

Señor
Alfredo Mazzarini
8 Französische Strasse, Lucerna

Estimado amigo:

Aprecio mucho la confianza que ha tenido al escribirme respecto a su tía. Ni hablar de la pena que me causó lo de la querida Luci. Mejor eso ni mencionarlo, para mí, ella significaba muchísimo, un pedacito de Argentina al lado de mi casa, un verdadero refugio. Dicen que los extremos se atraen, y el romanticismo de ella me sabía a gloria, yo soy todo lo contrario y necesitaba de esa otra visión de las cosas. Cuando digo romanticismo quiero significar una actitud de vida basada en el eje emoción-imaginación contrapuesto al racional.

Tan diferente en cambio la señora Nidia, tan práctica y con los pies en la tierra. Con ella tengo poco diálogo porque me dice las mismas cosas que me vienen a la mente a mí, somos demasiado parecidas para interesarnos la una en la otra.

Yo en usted no me preocuparía mucho por ella, tal vez deberíamos tomar lecciones de la señora Nidia. No sé si a usted le caerá bien lo que le voy a decir, pero yo apoyo la voluntad de independencia de ella. Seguramente el hijo no verá bien mi actitud, pero las circunstancias del caso no me dejan duda sobre lo legítimo de tal voluntad. Ante todo estoy convencida de que la ausencia de la querida Luci no invalidaría los planes de la señora Nidia. Sus bases afectivas en el presente son otras.

Hace días que quería escribirle esta carta, y lo que me detenía era el no estar totalmente convencida de lo que iba a decirle. Pero esta tarde vino su señora tía a pedirme que le tradujese al portugués una carta para su futura acompañante, y aquí me dejó las hojas en castellano. Yo creo que nada mejor que transcribirle ese texto para que usted comprenda qué es lo que actualmente siente la señora Nidia. No creo de este modo estar haciendo algo incorrecto, revelando algo íntimo, que no me han autorizado a mostrar a terceros. Es que el fin, en esta especie de consulta profesional a la distancia que estamos efectuando, creo que justifica los medios.

«Querida Wilma: Te escribo directamente para agradecerte los saludos que me mandaste en la carta a tu marido. Perdoname que te tutee, pero es que a mi edad ya me acostumbré a eso, es que todos me parecen criaturas comparados conmigo. Voy a cumplir dentro de unos meses los ochenta y cuatro.

»Yo ya te conozco mucho además a través de las fotos y de todo lo que me cuenta Ronaldo. Espero pronto tener ya la seguridad de que puedo alquilar el departamento de mi hermana, así te mandamos el boleto y te tomás ese terrible ómnibus de dos días y medio de viaje. Si tuviera más dinero te mandaría el pasaje por avión. Lo cual no está del todo descartado.

»Es que me preocupa mucho que estés tan tristona, que llores todas las tardes, ¡es que yo sé tan bien lo que es eso! Yo también perdí a mi hija, hace casi dos años, y tampoco tengo a mi marido al lado, para darme fuerzas. A él lo perdí hace tantos años. Pero vos, querida, no lo has perdido. Él está acá gozando de buena salud y esperándote, siempre habla de vos, se ve que te quiere inmensamente.

»Tené fe que todo se va a arreglar, y pronto vas a estar con él, y no como la otra vez, durmiendo con otra compañera de trabajo en un sucuchito. La pieza de ustedes es muy linda, no es una pieza de servicio porque mi hermana a la de acá la convirtió en ropero, ¡no sabés lo coqueta que es!, es dos años más joven que yo, pero lo mismo una vieja de porquería, y lo mismo se lo pasa comprándose ropa y mirándose al espejo para arreglarse, y la verdad es que sabe.

»Yo en cambio no tengo paciencia para el arreglo, ya vas a ver, pero no te asustes, no ando como una bruja. Mi hija Emilsen siempre me retaba por eso, y me ponía de ejemplo a Luci, que es como se llama la vieja loca de mi hermana. Cuando vos estés aquí te prometo que me voy a arreglar más, a Emilsen le gustaba que me atase ruleros durante el día para tener más esponjoso el pelo a la tarde, y si vos me ayudás todas las mañanas me voy a atar esos benditos ruleros. Luci no podía porque tiene artrosis en los dedos, lo único que sabía hacer era pasarme el peine, lo cual ya un poco componía la cosa.

»Entonces ya ves, ése sería uno de tus trabajos, ayudarme a estar mejor peinada, que no quiero que Emilsen me vea desde algún lugar y se asuste. Es una tontería lo que estoy diciendo, yo no creo en el otro mundo. Ojalá pudiese. Eso me daría otro consuelo. Espero que vos sí creas, así tendrás esa ilusión, de algún día reencontrarte con tu hijita.

»Hablemos de otra cosa, que ya bastante tristeza

tenés allá en el Norte. Te tengo que felicitar por tu marido, porque además de ser tan lindo es muy afectuoso. De eso los viejos se dan cuenta mejor que nadie, porque nadie nos mira, no se dan cuenta que con nuestra experiencia podemos comprender los problemas de los jóvenes y hacer algo para ayudarlos. Y no es ninguna vergüenza necesitar ayuda, todos necesitamos de los demás, y muchas veces no nos animamos a decirlo.

»Bueno, hay gentes que no tienen necesidad de los demás, tienen necesidad de tiempo, eso sí. Es el caso de mis nietos, que yo adoro, ¡qué chicos sanos, tres varones y una mujer! Pero todos tienen tanto que estudiar que ya hace años que conmigo más que un beso muy cariñoso no me pueden dar, y yo me doy cuenta que me quieren de verdad, como te decía aparte de ese beso no me dan nada, porque los pobres están preparándose para la lucha en la vida y no levantan la cabeza de los libros en todo el día.

»Mi nieta es la mayor, ya se recibió de médica, y lo mismo sigue estudiando, especializándose. Cuando falleció la tía, mi Emilsen, esa misma tarde tuvo que trabajar en el hospital donde está, ni pudo llorar en paz una lágrima por la tía, qué vida de ajetreo. ¿Eso es vida para una mujer? Con lo bien que hace desahogarse y llorar un poco.

»Te cuento esto porque me parece que está bien que sepas que nadie se la lleva de arriba. Nosotras dos, vos y yo, tenemos tiempo de sobra para llorar a nuestros muertos, por lo menos ese lujo nos lo podemos permitir. ¿Viste qué consuelo más tonto te doy?

»Bueno, no sigo porque esta carta me la tiene que traducir al portugués una señora muy ocupada también ella y se va a morir cuando vea el tiempo que le voy a hacer perder.

»Rezá porque todo salga bien, te espero pronto en Río, un abrazo de, Nidia de Angelis de Marra.»

En fin, vuelvo a nuestra conversación. Si la señora Nidia me llegase a pedir consejo, lo cual hasta ahora no ha hecho porque sabe muy bien qué es lo que quiere, yo no dudaré en apoyar su idea de afincamiento en Río. Sólo hay un pero, no sé bien cómo explicárselo en pocas palabras. Este chico Ronaldo es muy peculiar. Yo no lo he tratado bien a fondo, pero he podido ver, por su actitud en general, y por los relatos de la señora Nidia, que se trata de un muchacho algo infantil.

A la señora le ha hecho bien el contacto con él, tan jovial y sonriente, la hace reír mucho. A la señora le impresiona que el muchacho sea tan optimista cuando su cuadro de vida actual es un verdadero páramo. Yo he notado que de pronto el muchacho tiene caídas en la realidad, y en esos momentos se pone muy violento, como una criatura, violento de modo irracional, y altamente autodestructivo. Le doy un ejemplo: el presidente del consorcio un día le criticó una camisa que tenía puesta durante horas de servicio, ya por irse, al terminar su turno de noche, sin saber ese cretino que al chico todavía no le habían entregado la camisa de repuesto que provee el propio consorcio. Pues allí mismo se arrancó de un zarpazo el pobre Ronaldo su propia camisa y se fue enojado, con la camisa propia hecha jirones.

Conociendo un poco la historia del muchacho me parece que se trata de una mentalidad detenida en los doce años, cuando su vida mudó radicalmente por la muerte del padre. Mucha de esa gran vitalidad de Ronaldo tiene indudablemente una raíz neurótica, él no quiere aceptar que las circunstancias felices de su infancia (cierto bienestar de baja clase media agregado al amor de padre y madre ejemplares) hayan cambiado de modo tan negativo.

Pero si vamos a buscar a alguien libre de neurosis para establecer la relación que fuere, corremos el riesgo de pasarnos la vida con la linterna de Diógenes en la mano. Tampoco es el caso de ponerse en manos de irresponsables absolutos, pero a veces gente de apariencia muy equilibrada puede dar sorpresas nefastas al mejor conocedor.

Espero pronto tener sus noticias, sigo a su disposición por cualquier consulta, de cierto modo me hace usted estar cerca de Luci, de quien siento tanta falta.

Lo saluda muy cordialmente,

SILVIA BERNABEU

Lucerna, 19 de noviembre de 1987

Querida tía Nidia:

Acabamos de recibir tu carta. Te mando sólo unas pocas líneas para que te quedes tranquila en ese sentido. Mamá no repunta, ojalá pudiese decirte otra cosa.

Yo voy a Río aprovechando las vacaciones de Navidad. Llegaría alrededor del 20, y si arreglo todo rápido el 24 estaría con ustedes en Buenos Aires. Me resulta difícil comentarte tus planes, lo ideal sería que fueras a Buenos Aires para las fiestas, y después de conversar largo y tendido podrías volver a Río, si es tu deseo. Ahora por carta es muy difícil contestarte a lo que preguntás del departamento.

Pensá que no sería muy conveniente que pasases Navida sola. Ojalá nos veamos en Buenos Aires. Cariñosamente,

ÑATO

Río, 25 de noviembre de 1987

Querida Luci:

Acabo de recibir carta de tu hijo. Me parece que Suiza no les hace bien, ni a vos ni a él. Vos estás

174

achacada y él de lo más misterioso, y tristón, me parece. ¿Qué hay que no anda bien?

Lo peor de todo es que te deje sola para Navidad y Fin de Año, ¿se volvió loco ese muchacho? ¡Por favor no le muestres esta carta, pobre Ñato! Siempre fue tan bueno conmigo, y siempre me trató con toda confianza, ¿por qué ahora anda con tantas vueltas? Si tiene otra idea con el departamento lo mejor es que me lo diga rápido, porque entonces me pongo a buscar otro.

Imaginate qué tarea ímproba sería. Y no sólo buscar el lugar. Decile que en general cuando se quieren vender muebles usados nadie paga nada, así que yo sería siempre la clienta ideal. Buen lío sería ponerme a buscar muebles. Y cortinas. Y alguna alfombrita. ¡Y no me digas que hasta la ropa de cama vas a vender! Allá necesitarás seguramente frazadas diferentes, colchas, todo, de acuerdo con las camas nuevas. Hablando de frazadas, creo que no hay suficientes, para dos personas sí, pero para tres no. Si me pensás traer un regalito de Suiza eso sería lo más práctico, una linda manta, alegre, de colores, que me la uso yo. Y las comunes se las dejo a la pareja.

Casi me da un ataque de nervios con esa carta, te confieso. Yo para Navidad quiero estar acá. Ya estoy en tratativas para que la mujer del Ronaldo llegue en esas fechas. Ay, Luci, la carta divina que me escribió, no te la mando porque la quiero conservar y a veces el correo me ha perdido cosas, no quiero arriesgarme. Te la copiaría en otra hoja, pero como está en portugués me da pereza, tardaría un año.

Todas las noches sigue viniendo a dormir la chica de que te hablé. Es un alma de Dios pero demasiado callada, hay que sacarle las palabras con tirabuzón. Lo que le gusta es mirar las novelas de la tele, y películas. Yo me duermo y ella se lleva el televisor a

175

su pieza y sigue viendo. Pero conversación tiene poca, yo traté de sacar temas, pero ya me cansé. La Wilma parece que va a ser diferente, ya por la carta se ve que es más de comunicar. Además ésta es una criaturita, ¡trece años!, aunque parece dieciocho.

Pero soy una desconsiderada, vos estás con problemitas de salud y a mí me toca levantarte un poco el ánimo. Y tengo el remedio mejor, ¡chismes!, que te gustan más que comer, me parece. Además son chismes de nada menos que tu vecina Silvia. Y de su candidato número uno.

Bueno, apretate el cinturón porque viene turbulencia, como anuncian en el avión. Todo contado por ella, la fui a visitar yo para que me tradujese la carta de la esposa de Ronaldo, que se llama Wilma, ¿o ya te lo dije? Yo el diario en portugués te lo entiendo todo, pero con esa letra no alcanzaba a descifrar ni la mitad de las palabras. Pero si son del Norte y saben leer y escribir ya es bastante.

Bueno, volvamos a lo que te interesa más. Tengo que confesarte que el Ronaldo ya me había adelantado que el tipo famoso había estado la noche anterior, así que yo también fui con esa intención escondida de averiguarte algo. Mirá que buena hermana soy. Ella sola sacó el tema del Ferreira. ¡Lo volvió a llamar ella! Fijate qué agallas tiene esa mujer. Según ella quería probarse a sí misma que podía tratarlo ahora con cierta distancia, sin miedo de volver a perder la chaveta por él. Entonces lo llamó y el tipo le vino y le contó nada menos que está en relación seria con otra mujer. ¿Te caíste redonda? Perdoname si no te avisé antes que te sentases.

Es una muchacha soltera, de cuarenta y ocho años, con la que él tuvo ya relaciones mucho tiempo. Parece que él la inició en estas cosas, te repito palabras de la vecina, no me animé a pedirle que aclarase, y por eso él se sintió un poco en el deber de ir a buscarla. Él la conoció de soltero, y la inició, ¿te gusta la palabra que usó la psicóloga? Y no se casó con ella, sino con la otra. Y esta pobre diabla nunca más vio a ningún otro hombre, se quedó enterrada en vida, y él de vez en cuando la llamaba y se veían. La mosca muerta ésta es profesora de matemáticas de secundario.

Así que fueron cuernos que la esposa llevó durante mil años. Pero hace un tiempo, mucho antes de caer enferma, la esposa lo pescó en algo y se dio cuenta, y el tipo dejó de ver a la mosca muerta. Pero él siempre vivió con remordimiento de haberle echado a perder la vida a la mosca, que no tuvo ni hogar ni hijos nunca, todo por amor a él, que estoy pensando que algún encanto debe tener para que más de una pierda la cabeza. Qué encanto ni encanto, pelado de porquería, lo que pasa es que hay mucha mujer que se da cuerda sola, como ésta de al lado.

Y por fin se aclaró por qué él había desaparecido después del viaje tan lindo a la isla. Y es que le vino un verdadero ataque y casi manda todo al diablo y se va de marinero en un lanchón. ¿Qué me contás? Pero pensando en los hijos que todavía necesitan de su ayuda económica se frenó. Pero parece que la pasó muy mal, y estuvo semanas sin ver a nadie. Y lo que no sé es cómo se volvió a encontrar con la mosca muerta, si fue él que la llamó o si el diablo hizo que se encontrasen por la calle.

Yo creo que él fue tonto, porque con la de al lado habría tenido algún respaldo económico, porque esta mujer no para de trabajar, Luci, ¡cómo ganan estas psicólogas! Se está por comprar otro departamento, me contó porque yo le dije que quería averiguar precios, por las dudas ustedes no me alquilen o no me vendan éste. Y ella está al tanto de todos los precios,

177

claro, porque va a hacer pronto una inversión fuerte, ¿qué tal la suicida?

Ahora por lo que te viene a continuación espero por lo menos que me des una condecoración, creo que me la merezco. Pensando en lo curiosa que sos, antes de volverme a casa le disparé a quemarropa una pregunta a tu vecina: si con Ferreira esta última vez pasó algo o no. ¡Tuve el coraje de preguntarle! ¿Me creías capaz? Vos no te habrías animado.

Y la respuesta fue que sí. Esta muchacha conmigo no tiene tantos remilgos, ¿sabés?, me trata más como a una amiga, mientras que a vos te respeta más, como a una madre, creo yo.

La verdad es que nunca la vi mejor. Está encantada con el rumbo que han tomado las cosas. Ella le dio toda una interpretación a su conveniencia, con la que no estoy para nada de acuerdo. Te cuento: según ella la semana de la isla para ese hombre fue una sacudida muy fuerte, le despertó ese deseo dormido de libertad, de aventuras de muchachón, y ella pasó a ser un poco el símbolo de todo eso. De ahí que al regreso la rechazara de un día para el otro, porque resultaba como un desafío, ella significaba la posibilidad de un cambio brutal. Y como él no se animaba a plantar todo y vivir libre de una vez por todas, por eso no pudo enfrentarla más.

Te sigo con la interpretación de ella, en lo posible con sus palabras, que ya estarás reconociendo: el porqué de la reaparición de la otra es que se trata de nuevo de una pequeño burguesa, palabras que a tu vecina le gusta mucho usar, pero mira para otro lado cuando las dice, yo me di cuenta, ¿ella creerá que me chupo el dedo? Debe ser porque pensará que yo soy otra pequeño burguesa, y no me quiere señalar con el dedo.

¿Y ella acaso no cobra un disparate la consulta?

178

Que no se me haga la de izquierda porque eso me da rabia. Si yo soy pequeño burguesa ella también, un poco más programera, claro, pero la platita le gusta igual. Bueno, me voy por las ramas. Entonces a la mosca muerta el tipo la habría ido a buscar para llenar el puesto dejado libre por la señora que falleció. Y ahí ella usa siempre otra palabra que yo no me acuerdo cuál es. Se me fue de la cabeza.

¿Pero por qué tu vecina está tan contenta entonces? Según ella porque ahora le tocó el papel de la amante, de la tercera en cuestión, que es el más lindo, de menos compromiso, y que desde su puesto lo va a seguir ayudando a resolver los problemas de él. ¡Ah, ahora me acordé de la palabrita que ella usa! Según ella la mosquita muerta «no lo cuestiona» a él, mientras que ella sí. ¿Entendés lo que te quiero decir? Según ésta la mosquita no lo cuestiona en el sentido de que no le remueve cosas por dentro, no lo obliga a enfrentarse consigo mismo.

Mirá, Luci, para mí son todas excusas que se inventa ella para no aceptar la amarga verdad. En el amor las cosas no son tan complicadas, si alguien te gusta muchísimo te olvidás de todas las razones y las conveniencias. ¡Otra que conveniencias! Si te enamorás de veras la conveniencia es estar al lado de la otra persona que te hizo perder la cabeza, y basta. Conveniencias...

Lo que le pasó a ella es que sí se enamoró de él, y él no se enamoró de ella. Y punto. Hubo algo en ella que a él no le terminó de gustar y sanseacabó. Ahora lo que él siente por la mosquita muerta vaya a saber qué es. Pero lo único claro es una cosa: él de tu vecina no se enamoró. Aunque sí te admito una cosa, el porqué no lo entiendo. Ella es una mujer interesante, no una belleza, pero con sus atractivos ¡y además amiga de pagar la cuenta! A ese hombre no lo entiendo.

Bueno, ahora te tengo algo muy fuerte que contar. Te me vas a asustar un poco, pero yo quedé tan impresionada que a alguien se lo tengo que contar. Resulta que este pobrecito Ronaldo me está tomando mucho afecto, y me cuenta todo, yo hice mal en preguntarle ciertas cosas, y ahora él me cuenta todo, como a un cura confesor. Bueno, voy de a poco, para que no te dé un síncope. Resulta que yo siempre sentí mucha pena de ver a esos albañiles a la tardecita sentados en la puerta de una obra en construcción, todos petisitos, medios feúchos, y yo me decía, ¿por qué? ¿Será que los eligen medio enanos porque tienen más fuerza?

Entonces le pregunté a él y me contó que son casi todos del Norte, donde la gente es más bajita. Él no, vos lo viste. El trabajo de albañil es terrible y mal pagado, por eso lo agarran estos muertos de hambre que llegan de la sequía. Y entonces la mayoría están lejos de la familia y duermen ahí en la construcción para ahorrar lo más posible y están con esa tristeza, de tanto extrañar a los seres queridos. Y los ranchitos de ellos en el Norte serán miserables, me imagino, pero una mansión comparados con esos criaderos de cucarachas donde duermen acá.

Ay, pero ya te lo sabés de memoria todo eso. La novedad es otra. Por ahí yo le dije que esos pobrecitos vivían como monjes. Y ahí vino el relato. Dice que en esa obra no hay vigía nocturno, entonces están todos de acuerdo en no contar nada al ingeniero, etcétera. Todos se van a dormir después de cenar muy tempranito, a las ocho, y queda uno haciendo guardia, y más o menos a medianoche, cuando el barrio está bien desierto, empiezan a llegar las visitas. En general son muchachas sirvientas, también del Norte, que se sienten muy solas, y se escapan de donde trabajan, o con permiso, andá a saber. Y algunos de los albañiles tienen su visitante fija, y otros que son más tímidos o más feos no consiguen nada, y tienen que esperar que aparezca alguna que no le importe ir con más de uno, ¿qué me contás?

Eso sucede en día de semana, los sábados no, las que tienen novio fijo no quieren meterse en la obra sábado a la noche, porque corre mucha bebida y la cosa se pone brava. Vienen otras los sábados. Parece que hay algunas que llegan de barrios más lejos, alguna tipa que no consigue novio fijo, porque ya es más vieja, no sé, mujeres ya maltratadas por la vida, que no pueden venir en día de semana, a causa del costo del transporte, a veces dos y tres ómnibus, y están como enfermas de tristeza, del Norte también, y se quedan toda la noche ahí, y van pasando de mano en mano.

Pero eso ocurre si otra mujer no las ve. Los tipos las esconden, no dejan que se vean entre ellas, porque si hay otra mujer delante entonces se quieren quedar con un solo hombre toda la noche. Pero en general los sábados no cae más que una o dos, y ellos les dan un poco de ese aguardiente de tomar, esa cachaça que a mí me gusta tanto con limón. Y esa pobre muchacha suelta todas las lágrimas, y habla de la casa allá lejos, y después sigue tomando y de llorar pasa a reírse. Y ellos le dicen alguna palabra bonita y con eso ya la conquistan, no le dan ni una moneda para los ómnibus de vuelta. Porque no bien empiezan a correr de nuevo los ómnibus, a eso de las cinco de la mañana, que en verano ya es de día, tienen que arriesgarse a salir y que las vean. Dice este chico que es difícil hacerlas salir de ahí, no quieren irse, porque tienen mucho sueño, han tomado mucho y dormido poquísimo, pero las sacan afuera como la basura, antes que pase de largo el barrendero.

Él trabajó muchos meses en esa obra, cuando recién la empezaron a levantar. Y por eso se hizo amigo de todos y lo dejan dormir de día ahí desde que empezó a trabajar de sereno acá al lado. Así que fijate qué nene inocente había resultado. Y eso no es todo, ¡muchas veces se escapa del trabajo y se va a la obra porque alguna lo espera en la esquina! A eso de las tres de la mañana si ya volvieron a dormir todos los que viven en el edificio. Y si todavía quedó alguno afuera, esto no lo vas a creer, la hace pasar a la tipa, y la esconde en la sala de las máquinas, en el sótano, una barbaridad.

¡Y yo vi el lugar! Anoche al bajar de lo de Silvia estaba por supuesto él en su jolsito y como me moría de curiosidad de ver el sótano le pedí que me llevara. Se entra por el garaje, se baja una escalerita corta porque no es ni sótano, es como no sé qué, un galpón de techo muy bajito, donde está el motor del ascensor, que hace rato que no funciona más. Y ahí guarda el portero las cosas de limpieza, por eso ni lugar hay para tirar un papel de diario y acostar a una mujer, y prefiere ir a la obra. Te estoy repitiendo las palabras de este sinvergüenza, ¿no es de lo que no hay?

Una vez que la muchacha está ahí abajo él se queda tranquilo porque no la deja salir hasta que llegue el último de los inquilinos que salió de parranda. Y al rato baja él. Así que es la piel de Judas, por eso mejor que llegue la mujer rápido antes de que pase algún lío.

Mañana sigo porque llegó la chica, le voy a pedir que me ayude a doblar las sábanas. Sí, sin planchar, ya sé que no te gusta que haga eso. Pero para mí quedan casi como planchadas, bien estiradas como se las puede extender a secar en tu lindo patio.

Luci, acá estoy con Silvia, me vino a visitar. Se enteró por Ronaldo que esta mañana me di un golpe.

Yo no te decía nada para que no te preocupases. Bueno, después te cuento. Después de mucho insistirle Silvia aceptó en dictarme en castellano la carta de Wilma, porque yo quiero que la leas. Ahí va:

Hoy 26. Es tempranito a la mañana, la chica todavía está durmiendo, yo me desperté con un poco de dolor en la pierna, del golpe. Estoy escribiéndote en el banquito de la cocina, que por raro que parezca es donde menos me duele sentarme. Anoche tu vecina me iba a dictar la carta y cuando estaba empezando le dio no sé qué, la impresionó lo que decía la Wilma y no hubo caso de que dictara nada. Yo te la voy a copiar yo misma toda en castellano, creo que va a ser más fácil. Empieza así: «Mía querida señora Nidia: Aquí estamos mi suegra y yo con salud buena, y se lo agradecemos a Dios. El Ronaldo escribe poco, pero ya me contó que la señora es muy buena con él.

»Yo espero que Dios le dé a la señora todo lo que merece. Yo a la Santa Virgen le pediría una cosa para la señora, y es que le devuelva con vida a la hijita que se le murió. Yo le pediría a la Virgen lo mismo para mí, por eso conozco lo que la señora tiene clavado en el corazón, una faca que todos quieren ayudar a sacársela, pero cada vez se hunde más. Ya se sabe que alguna vez la Santa Virgen hace milagros y yo le pido que primero le toque el milagro a usted, señora, que es tan viejita. Y mientras esperamos el milagro yo cierro muchas veces los ojos y consigo ver a mi criaturita.

»La señora me dice que no cree que nunca más va a ver a su hija, ¿por qué dice eso? Dios se va a enojar si sabe eso. Yo cuando estoy muy triste, y me da miedo que mi marido se vaya con otra mujer, lloro un poco y quedo muy cansada, y cierro los ojos y veo a mi criaturita, siempre sanita, como antes de enfermarse. Pero a veces la veo enfermita, y ahí abro los ojos y salgo corriendo por el campo. Me da miedo que en el otro mundo siga sufriendo como en el hospital.

»Pero son pocas las veces que la veo así, casi siempre está linda, gordita. Y si la veo acá en este mundo, con nada más que cerrar los ojos, más fácil va a ser verla en el otro mundo. Ahí yo la quiero abrazar y besar, y darle su bañito, y peinarla. Muchas veces la madre del Ronaldo me deja que sirva yo la comida, y ahí aprovecho para darle bastante más a mi suegra. Y si como poco me viene la debilidad y duermo mal, pero eso es bueno para cerrar los ojos y verla a la nena. Pero mejor todavía para eso era cuando estaba el Ronaldo, porque él se me subía encima a la mañana, y a la noche, y a la tardecita cuando volvía de trabajar en el campo, porque dice que me quiere tanto, y también él se quería olvidar de las cosas tristes. Pero él es muy fuerte y no se debilita, y yo le doy mucho de comer, pero yo aprovechaba para comer poco y con el cansancio veía a mi nena a cualquier hora cuando el Ronaldo estaba acá, me bastaba entrecerrar un poco los ojos.

»Mi suegra ya hace meses que está sin anteojos, y no ve mucho. Por eso yo le pongo más a ella en el plato. Es que acá estamos sin trabajo, y lo poco que cosechamos ya lo vendimos, y vamos de a poquito gastando ese dinero, pero con la inflación se pierde el valor, y acá no hay banco, hay que ir hasta el otro pueblo, y me dijo un señor que el banco tampoco resuelve nada. Yo aprovecho que ella no se da cuenta y hay días que ya me levanto triste desde la mañana, sobre todo si pienso que el Ronaldo se va con otra muchacha, una de esas que se gastan todo el salario en bikinis.

»Él es muy lindo y acá lo querían todas, pero él

me eligió a mí, porque nunca dejé que me tocara y se dio cuenta que yo era buena madre para sus hijos. Entonces cuando me despierto triste quiero llorar para que se me pase, y no puedo cerrar los ojos porque la veo a la nenita mía sufriendo, y entonces esos días no como nada, y mi suegra no se da cuenta. Cuando tenía los anteojos me gritaba y me hacía comer, ella tiene una voz muy fuerte, es buena para gritar. Pero si no se da cuenta y sin comer casi nada a la tarde ya me viene una cosa en el pecho y le digo a mi suegra que voy a ver si cazo algún pájaro con la honda, y me voy ya casi oscureciendo y lloro mucho. Y después quedo muy enflaquecida y me siento abajo de un árbol y cerrando los ojos veo algunas cosas lindas, que viene caminando el Ronaldo, y hablamos de tener otro hijo, y él me hace un hijo y lo tengo y es igual a la nena que se murió, no sé si es varón o mujer, debe ser otra nena, porque yo la veo igual a la primerita.

»El Ronaldo no quiere que hable de algunas cosas que la madre está pasando, pero es bueno que la señora ande sabiendo. Aquel hombre ya no está más en esta casa, pero ella tiene lástima, y lo va a cuidar a veces. Él sigue trabajando, cuando puede, pero ya no le dan tanto trabajo como antes. Vive solo, los hijos de él se fueron todos para Río, y mi suegra va y le prepara comida. El Ronaldo no quiere que yo diga eso, pero ese hombre ayuda a mi suegra con un poco de dinero, pero es un hombre a veces enfermo de nervios. Los anteojos de mi suegra fue él que se los rompió, mi suegra dice que se le cayeron al suelo a ella y él sin querer les puso el zapato encima. Yo no se lo creo.

»Mi suegra tiene que irse a vivir con la hija que está en Recife, la de San Pablo no, por la mala situación. Ella se queda acá porque estoy yo, eso dice ella.

Yo creo que es porque le da lástima del hombre. El Ronaldo le tiene que escribir y decir que se vaya con la Ana Lúcia a Recife. No importa si yo no estoy más cuando llegue la carta, ella tiene personal de confianza que le puede leer la carta.

»Cuántos buenos deseos para la señora, y que Dios nos ayude para estar luego juntos todos. Abrazos muy respetuosos de, Wilma.»

¿Qué te parece la carta? Yo creo que debe ser buena como el pan. Pero siempre hay sorpresas. De todos modos, sin probar no se resuelve nada. Y yo siempre creí que si se puede hacer un bien tenemos la obligación de hacerlo.

Bueno, no recibo carta de mi hermana pero sí de una pobrecita que ni siquiera conozco. De Buenos Aires ninguno escribe, agarran el teléfono y con eso resuelven todo. Pero por teléfono uno está nervioso y no dice lo principal. Si viviera Emilsen otro gallo cantaría. Estaba esta mañana con pensamientos feos y busqué tu última carta. Nunca te contesté a lo que me preguntabas, si yo me puedo ilusionar con que algún día me encuentre de nuevo con los seres queridos que se nos murieron. No puedo, Nidia, vos tenés razón. Si vos nunca pudiste, que fuiste más novelera, menos que menos yo. Pero ya ves esta gente tan ignorante del Norte como se consigue conformar con eso. Tal vez más que la ignorancia sea la pobreza. Como no tienen nada de nada, a la fuerza se tienen que inventar esas ilusiones. Yo la envidio a la Wilma.

Le conté al Ronaldo, eso que me dijo ella, aunque no le mostré la carta. Y él también cree en el más allá. Yo le dije que no y me miró como si le hubiese presentado al diablo en persona ¡y se persignó! Parece que nunca había hablado antes con una poco creyente, como somos nosotras. Nada creyente. Y después me empezó a decir que alguien me había querido hacer un mal, metiéndome esas ideas en la cabeza. Ahí yo para calmarlo le dije que como estoy muy vieja ya la cabeza no me da para ciertas cosas, y él me dijo que él sabe muy bien cómo es el más allá.

Te juro, Luci, que me hablaba muy en serio. Él dice que él sabe todo, que primero en una pieza está el padre muerto, pero bien vivo, cortándole el pelo a alguien, y cuando se muera él primero va a visitar un rato al padre, y después en otra pieza está la nena, que la tienen cuidándola la Virgen y los ángeles, hasta que se muera él o la Wilma, y la vayan a cuidar. Y después dice que hay otra pieza, donde él va a estar esperando a la Wilma hasta que se muera ella.

Yo después anoche no me podía dormir pensando en eso. Qué suerte tienen estos ignorantes. Qué lindo sería llegar a esa pieza primera, ¿te imaginás? A mí me gustaría que estuviéramos nosotras dos como cuando éramos chicas, esperando a mamá. No sé si te acordás que muy pocas veces sucedía, pero a veces mamá nos dejaba solas el día entero, porque se iba a cuidar a alguna persona enferma. Y como no estábamos acostumbradas a que faltase la extrañábamos como locas el día entero, no podíamos vivir sin ella. Y cuando ella volvía a la nochecita era esa alegría tan grande de abrazarla, y besarla, y saber que ya se quedaba con nosotras para siempre. Para siempre, Luci.

¿Y en la otra pieza? Yo soy igual que el Ronaldo en ese sentido, en la otra pieza la querría tener a Emilsen, pero de chiquita, tan preciosa que era, así van a faltar muchos años, cuarenta y tantos, para que se enferme y se me vaya. Aunque en el cielo ya no tendría que haber separaciones. Y lo peor tenés razón que son las despedidas. Y en la tercera pieza estarían los hijos de Emilsen, de chiquitos también, y esperá, lo que no sé es dónde me encontraría con Tito, te juro que no sé. Debe ser que no quiero que me vea así, porque no me va a reconocer, con ochenta y tres años, doblada, chueca, con bastante poco cabello.

Cuando Tito murió yo estaba en los cuarenta y pico, derechita, y delgada. Y a él yo no lo quiero ver como estaba al final, pobrecito, piel y huesos, y tan dolorido por esa horrible enfermedad. Yo lo quiero ver como cuando recién lo conocí, y bailamos tantos pasodobles, y tangos, y valses. Un hombrazo. Me vino a la mente el vestido aquel de las tablas, el rosado, con la pechera cremita, sin mangas. ¡Qué escándalo armé con ese vestido! ¡Porque era sin mangas! Debe haber sido por los años 23 o 24.

Me acordé de otra cosa, Luci. Cuando llegó la carta de los parientes de Italia, aquella terrible, y mamá no se podía levantar de la cama de tanta pena. Al tío Anténore, el hermano menor de mamá, lo habían matado en Salónica, en la guerra. Creo que tenía unos veinticinco años. Si la guerra fue del 14 al 18 eso habrá sido por ahí, por el 16 o 17, porque me parece que no fue al final de todo. Hace setenta años o más, Luci, y me acuerdo tan claro. ¿Vos te acordás? Mamá no podía conformarse, porque ella tampoco fue creyente. Y para nosotras cuando se pierde a alguien es para siempre.

¿Y si el Ronaldo tuviese razón y nosotras no? Qué lindo sería pensar que mamá cuando dejó este mundo, después de esa enfermedad tan larga, y tan dolorosa, se encontró con Anténore, y pudieron charlar de todo lo que no pudieron contarse por carta, ella en Buenos Aires, y él en Piacenza. A un mes de viaje en barco de distancia. Las cartas tardaban un mes y medio en ir, y la respuesta otro mes y medio. Pobre mamá. Pero nos tenía a nosotras.

Bueno, Luci, esta carta me va a salir una fortuna en estampillas, no tengo a la multinacional a mano, como una que yo sé. Pero es que con alguien tengo que conversar, perdoná si te cuento pavadas y cosas tristes, menos mal que va algún chisme sabroso para componer un poco el conjunto.

No me oculten nada, vos y el Ñato, díganme las cosas claras. ¡No veo el momento que venga la Wilma! Cuidate mucho, besos y abrazos,

NIDIA

Postdata:

No te olvides de la manta, si no venís vos que me la traiga el Ñato.

CAPÍTULO ONCE

Buenos Aires, 18 de noviembre de 1987

Querida vieja:

Tenés razón de exigirme carta, en vez de que gaste dinero en teléfono. Siempre tuviste la cabeza bien colocada sobre los hombros, y esperamos que esta vez también, con tu idea revolucionaria de emigración. ¿Te das cuenta, vieja, que estás emigrando?

Hablé por teléfono con el Ñato, llamó desde la oficina en Lucerna, no te asustes, no lo llamé yo. Así que pagó la compañía. Me confirmó que va para Río alrededor del 20 de diciembre, aprovechando las vacaciones forzosas de esos días. Según él no habrá ningún inconveniente para que alquiles o compres el departamento. Él tiene que viajar de todos modos para arreglar todo lo de la sucursal de Río, de la compañía, que muy probablemente se cierre. Parece que él siempre lo supo y no se lo quiso anticipar a tía Luci hasta que se definiese el asunto.

Cuando él llegue tendrán una larga conversación, y él te va a poner al tanto de todo, para que vos te hagas tu composición de lugar. Lo único que yo te puedo adelantar es que tía Luci no va a poder volver nunca, porque el Ñato ya queda fijo allá en Suiza. Por eso vos pensá bien las cosas, y pensá en tu futuro en Río sin contar para nada con la tía.

Nosotros te vamos a extrañar mucho pero nos

tiene contentos saber que estás tan recuperada, y que te haya bajado de manera tan notable la máxima de presión. También nos tranquiliza saber que para Navidad el Ñato va a estar con vos.

Vieja, se me cierran los ojos de sueño, me voy a dormir. Portate bien, no comas mucho, acá me dice tu nuera que no andes al sol sin la sombrilla que te regaló. Besos de tu hijo,

NENE

SECRETARÍA DE ESTADO / POLICÍA CIVIL
COMISARÍA DE LEBLON - Rua Humberto de Campos 315

ACTA DE DENUNCIA

Hoy, a las 18 horas y 20 minutos del día miércoles 16 de diciembre de 1987, se asienta la siguiente denuncia. El señor Otávio Pedro Oliveira da Cunha, de 22 años de edad, sí lee y escribe, detentando documento de identidad número 6.087 de la Policía del Estado de Minas Gerais, empleado como personal de fajina en el edificio de departamentos de la calle General Venancio Flores 119, barrio de Leblon, declara que su hermana Maria José Oliveira da Cunha, menor de edad, ha desaparecido de su empleo, en la calle Igarapava 120, departamento 205. La menor desempeñaba tareas de empleada doméstica, y principalmente de niñera. La edad exacta no se ha podido precisar porque el denunciante no recuerda la fecha de nacimiento. Él sostiene que sólo ha cumplido los trece años, mientras que la señora patrona del departamento 205 informó por teléfono que la muchacha declaraba catorce años. La señora se identificó como Nieves Castro Athaide y se presentará a declarar en el día de mañana. Ha sido convocada para las 18.30 horas.

La menor Maria José también se desempeñaba

como acompañante de otra residente del mismo edificio, en cuyo departamento de número 104 dormía todas las noches, como parte principal de su tarea. La patrona es la señora Nidia María de Angelis Marra, de nacionalidad argentina, quien se presentará a declarar en el día de mañana. Ha sido convocada para las 19 horas.

Los padres de Maria José y Otávio Pedro se encuentran en la localidad de Parilá, Estado de Minas, y según el denunciante no han recibido comunicación de la hija recientemente. Los mismos carecen de teléfono en su domicilio pero el denunciante se comunicó con ellos por vía del puesto de teléfonos de la localidad de Parilá, en la fecha de hoy, a las 17 y 30 minutos, inmediatamente antes de presentarse en esta sede.

Interrogado sobre sus conjeturas respecto al paradero de la menor, Otávio Pedro pareció en un momento estar decidido a hablar, pero de pronto se detuvo, como temiendo algo. Explicó solamente que él era responsable ante sus padres de la conducta de Maria José en Río, ya que él mismo había insistido en que se trasladase para aquí.

Él se encuentra en esta ciudad desde que fue dado de baja del ejército, hace dos años, después de desempeñarse como soldado conscripto en el Batallón Segundo de Artillería, situado en Ribeira Preta, Estado de Minas Gerais. Ha trabajado en el mismo edificio desde entonces y hace varios meses, según él después del último carnaval, trajo a su hermana a Río porque la señora Nieves de Castro Athaide iba a dar a luz y necesitaba de una niñera. La señora Nieves es hija de una residente del edificio donde se desempeña Otávio Pedro.

Queda asentada la denuncia ante los testigos Cabo Lucio Freitas Coelho y Comisario Arnoldo Campos

Galvão, hoy 12 de diciembre de 1987, quienes más abajo firman con el denunciante.

SECRETARÍA DE ESTADO / POLICÍA CIVIL
COMISARÍA DE LEBLON - Rua Humberto de Campos 315
DECLARACIÓN DE TESTIGO

Hoy, a las 18 y 45 minutos del día jueves 17 de diciembre de 1987, se asienta la siguiente declaración. La señora Nieves de Castro Athaide, de 26 años de edad, profesora de Inglés en el Instituto Anglo-Brasileño, detentando documento de identidad número 90.187-8 del Gobierno del Estado de Río, declara que la menor Maria José no se presentó a trabajar en el día de ayer, a las ocho de la mañana, su horario habitual. La noche anterior la menor se había desplazado como de costumbre al departamento número 104 del mismo edificio, al llegar la señora Nieves de vuelta de sus clases, a las 18 y 30 horas, y poder hacerse cargo de su niño.

La señora Nieves había venido como de costumbre a almorzar a su casa en el día martes, es decir antes de ayer, y encontró a la menor llorando. Maria José no quería explicar pero pronto confesó que se hallaba embarazada y temía a la reacción de su hermano. La señora trató de tranquilizarla prometiendo informarse sobre la legalidad de un aborto tratándose de una menor. La menor entonces reaccionó de manera muy fuerte, declarando que quería tener ese hijo porque era lo único que le quedaría de quien le había quitado la virginidad y a quien ella esperaría toda la vida si era preciso, sin ver jamás a otro hombre en el mundo. Lo que más sorprendió a la señora Nieves fue el profundo amor que esta muchacha, en general muy reservada y tímida, declaró tener por ese hombre, de quien se negó a dar el nombre.

Desde el mes anterior, en que la menor pasó a dormir en el departamento 104, la misma se había llevado sus pocas pertenencias, de modo que la señora Nieves no tuvo información sobre la desaparición de la menor hasta el día de ayer, en que fue al departamento 104, pasadas las ocho de la mañana, en busca de la niñera. Fue entonces que la señora residente del 104 le informó que acababa de notar la ausencia de la muchacha, junto con las pertenencias de la misma. Ambas decidieron no avisar al hermano de la muchacha hasta mediodía, al volver la señora Nieves de su trabajo. La señora del 104 quedó a cargo del niño de la señora Nieves.

De regreso a mediodía la señora Nieves, no teniendo más noticias de la menor, llamó a su señora madre y pidió que informase a Otávio Pedro, ayudante de portero del edificio.

La señora Nieves no ha recibido más noticias de la menor y declara no tener más información que dar al respecto. Testimonio tomado el día de hoy, 17 de diciembre de 1987, por el Cabo Lucio Freitas Coelho y el sub-Comisario Luiz Carlos Araújo, quienes más abajo firman junto con la testimoniante.

SECRETARÍA DE ESTADO / POLICÍA CIVIL
COMISARÍA DE LEBLON - Rua Humberto de Campos 315

DECLARACIÓN DE TESTIGO

Hoy, a las 19 y 15 minutos del día 17 de diciembre de 1987, se asienta la siguiente declaración. La señora Nidia María de Angelis Marra, de nacionalidad argentina, con pasaporte número 9.471/5, visa de turista a ser renovada el próximo 9 de enero de 1988, según información adelantada por la interesada, de 83 años de edad, declara no haber sido notificada por la menor de ninguna intención de abandonar su trabajo. La señora Nidia María agrega que la menor fue totalmente correcta durante las pocas semanas que la acompañó y no se explica su desaparición.

La novedad del embarazo le fue comunicada por la señora Nieves y la menor nunca le había comentado sobre relaciones con representantes del sexo opuesto. De todos modos, quienes recogen este testimonio notaron a la señora visiblemente nerviosa y observaron que se contradijo al ser interrogada sobre la posible desaparición de objetos de valor o dinero de su departamento. Primero dijo que no faltaba nada y que no hacía falta revisar nada. Después en cambio declaró que ya había revisado todo y no faltaba nada.

La señora pidió ser dispensada, debido a su avanzada edad, y cerró su declaración agregando que la menor era muy reservada, por lo cual no había podido llegar a conocerla más íntimamente, y tampoco le interesaba ser notificada si se averiguaba algún dato sobre el paradero de la muchacha. La señora parecía seriamente agraviada por la conducta de la menor. Testimonio tomado el día 17 de diciembre de 1987, por el Cabo Lucio Freitas Coelho y el sub-Comisario Luiz Carlos Araújo, quienes más abajo firman junto con la testimoniante.

Silvia Bernabeu, Rua Igarapava 130
Río de Janeiro, 19 de diciembre 1987

Ingeniero
Alfredo Mazzarini
c/o «Thyssen Metal Co.»
Calle Mariano Moreno 760
Buenos Aires

Estimado amigo:
Dado que usted no me llamó en el día de ayer supongo que habrá conseguido cambiar su reserva

196

de avión para volar directo de Suiza a Buenos Aires. Espero que pese al correo infernal de estas fechas le llegue mi carta. Como si fuera poco lo complicado de este asunto familiar, hay que sumar las infinitas trabas de los feriados de Fin de Año. Y digo familiar seriamente porque para mí Luci fue y sigue siendo «familia».

Espero que su cuenta de teléfono no resulte demasiado onerosa, pero como usted me lo había repetido tan insistentemente consideré necesario llamarlo con pago revertido ayer a primera hora. No tengo mucho que agregarle en líneas generales, pero sí le puedo dar todos los detalles que por teléfono resultaba un disparate enumerar.

Me siento satisfecha de haberle comunicado los últimos acontecimientos a tiempo de poder mudar sus planes e invertir el orden de sus escalas, primero Buenos Aires y no Río como tenía pensado. También me alegra porque yo no voy a estar aquí para Navidad, y sí en los primeros días de enero, cuando usted pasará por aquí. Esto por lo menos salió bien.

Éstos son días de sorpresas, y una es que me voy a pasar siete días con mi hijo a México, milagrosamente conseguí pasaje, fue ayer mismo que me decidí, y ya ve, en plena Navidad conseguí lugar, como seguramente consiguió usted, se deberá a cancelaciones de último momento. Ocurre que la gente hace estas reservas con tanta anticipación que cuando llega la fecha ya puede haberles cambiado la vida enteramente. Además estoy pagando clase ejecutiva, una fortuna, pero a esta Navidad quiero festejarla.

Le ruego que no deje de llamarme cuando venga a Río en enero, y vernos, es que quiero enterarme de todos los pormenores de los últimos días de Luci. Esto puede sonar a un inútil regodeo en el dolor, pero no es así, para mí peor es el desconocimiento de los hechos, que da lugar a excursiones de la imaginación no siempre positivas. No hay nada como el enfrentamiento con la verdad cuando se trata de un intento de resignación ante la pérdida irreparable.

Pero me estoy apartando del verdadero motivo de esta carta, que es darle información sobre su tía Nidia. Hasta hace tres días todo parecía desenvolverse de la mejor manera posible. Su tía iba todos los días a la apartadísima Terminal de Ómnibus de Río para ver si conseguía una devolución o cancelación de pasaje para hacer viajar a la esposa de Ronaldo. Dadas las fechas cercanas a Navidad no había una sola plaza libre hasta después del 25. Fue entonces que decidió hacerla venir por avión, donde tampoco había lugares libres aunque por teléfono sí pueden resolverse las cosas, no así con las compañías de ómnibus, que no atienden pedidos telefónicos.

Además esa Terminal está a más de una hora de nuestro barrio, lo cual no impedía a la señora Nidia ir todas las mañanas a insistir en una cancelación, y hacer horas de fila, de espera inútil. Finalmente de una agencia de viajes la llamaron, le habían conseguido un asiento de avión para el día 20, y debía pasar a pagar en el plazo de cuarenta y ocho horas. Yo que siempre estoy ávida de dólares se los cambié y ella le dio el dinero a Ronaldo para retirar el recibo, en la agencia aquí cercana en Ipanema.

Eso fue hace una semana aproximadamente y todo parecía proceder normalmente. El miércoles pasado, día 16, a la noche, la señora Nidia me telefoneó profundamente alarmada. Ronaldo no se había presentado a las seis de la tarde para su acostumbrado paseo, y tampoco estaba cumpliendo su horario de vigía en mi edificio, donde entra a las nueve de la noche. Para esto ya eran las diez y media. Juntamente con eso, esa mañana había desaparecido de su casa, sin decir una palabra, y con sus ropitas, la muchacha que la acompañaba de noche. La señora Nidia me pidió que la acompañase a la obra en construcción donde dormía Ronaldo durante el día, pero yo estaba con visitas en casa y no pude satisfacer su pedido.

A la mañana siguiente la señora Nidia fue sola a la obra y habló con un amigo de Ronaldo. En efecto, el chico se había ido de Río en la madrugada del miércoles, porque se lo acusaba de haber estuprado a una menor, y el hermano de la muchacha lo buscaba para matarlo. El amigo de Ronaldo no quería decir hacia dónde había huido, pero cuando la señora Nidia sugirió que quería mandarle dinero dijo que estaría por los alrededores de San Pablo, donde vive una de sus hermanas. Pero nadie conocía la dirección. Finalmente la señora Nidia mostró un billete de mil cruzados, y se lo dejó para Ronaldo, por si aparecía. El amigo entonces dijo que no quería quedarse con el dinero, porque Ronaldo no volvería, ya que se había ido con la muchacha. La señora Nidia insistió y le dejó los mil cruzados.

Volvió al departamento y telefoneó a la agencia de viajes para suspender la reserva. Se enteró entonces de que Ronaldo nunca había pasado a pagar el boleto de avión de la esposa, el cual vencía tres días atrás. Cuando la señora Nidia le había pedido el recibo Ronaldo adujo que lo había dejado en algún lugar y el detalle quedó olvidado. Esa misma tarde fue llamada a la comisaría de nuestro distrito y parece que en un momentito se liberó del trance y no la molestaron con interrogatorio alguno.

Volviendo de la comisaría su tía fue sacudida por un escalofrío de horror: la muchacha dormía en el cuarto donde están los armarios embutidos y una cómoda, llenas de ropa de Luci. Y también de objetos de valor. De las joyas no faltaba nada. Faltaba el vestido blanco de encaje, el carísimo que usted le había comprado a su mamá en ocasión de un viaje a Fortaleza, enteramente bordado a mano. Y la mantilla blanca, creo que de España, y lo que más apreciaba la querida Luci, un trabajo en encaje de Bruselas, no le entendí bien a su tía qué era, una especie de velo o chal, también regalo de usted para su mamá, que tanto adoraba las puntillas. Usted recordará qué será. No me dijo el color, pero todo lo bordado en Bruselas es blanco, de modo que será también blanca esa prenda. Estaba todo guardado junto, con envoltorio especial para mayor protección.

Y en el mismo lugar encontró una nota de Ronaldo. Yo no llegué a verla, pero según Nidia él le pedía perdón y le aseguraba que no entendía por qué había caído en la tentación, cuando su gran deseo era la llegada de la esposa. Pero tenía que escaparse para salvaguardar la vida.

Nidia estaba especialmente perturbada por el robo del dinero del pasaje, y al día siguiente, viernes, ya estaba de regreso en Buenos Aires. Quiso volar de inmediato, le dejó propina al portero para que regase las plantas y todo lo del traslado al aeropuerto lo resolvió con la ex secretaria de usted. Todo esto sucedía en horarios de trabajo para mí, y apenas si le pude dar un abrazo entre un paciente y el otro, un rato antes de que saliese con el taxi rumbo al aeropuerto.

Fue entonces que me dijo algo terrible: se sentía culpable de lo ocurrido a la pobre chica, a Maria José, porque no había sabido protegerla y prevenirla sobre Ronaldo. Es que jamás había creído al muchacho capaz de aprovecharse de una criaturita pura e inocente. Sólo entonces ella veía que tenía razón el hijo en decirle que ya no estaba en edad para empresas alocadas. La pobre Nidia estaba realmente deshecha, y yo no tuve tiempo de ayudarla en ese sentido, de hacerle ver que ella había obrado maravillosamente bien.

Pero todo eso fue hablado en la vereda, delante del chofer de taxi que miraba el reloj, y yo con mi paciente esperando en el consultorio. Usted que la estará viendo en Buenos Aires, le ruego, trate de hacerle ver ese lado de las cosas, pero claro, no que se lo dije yo, puesto que nuestra correspondencia ha tenido lugar a espaldas de ella.

La señora Nidia actuó bien, de manera siempre generosa, hágale ver este lado de las cosas, por favor.

¿Qué me resta por decirle? He hablado con el portero del edificio de la querida Luci, pidiéndole que me pasara las cuentas de luz, gas y teléfono. Como usted viene en enero no me preocupo más por nada.

Mientras yo esté en Río cada dos o tres días voy a darle una ojeada a las plantas, por si el portero se olvida de regarlas. Él me conoce y me entrega la llave sin problema. Luci sufriría si supiese que les falta agua. A México viajo el 22.

Supongo que a estas horas la señora Nidia ya sabrá la verdad sobre la hermana. ¡Qué fiestas de Navidad le esperan, pobre Nidia! Tan ilusionada que estaba con su nueva familia en Río. No me explico cómo a veces la gente soporta tanto dolor y tanto desencanto.

Espero verlo aquí, le ruego que si no viene por lo menos me dé una llamadita telefónica desde Buenos Aires. Lo saluda con sincera amistad,

SILVIA BERNABEU

SECRETARÍA DE ESTADO / POLICÍA CIVIL
COMISARÍA DE LEBLON / Rua Humberto de Campos 315

ACTA DE DENUNCIA

Hoy, a las once horas de la mañana del día 21 de diciembre, se asienta la siguiente denuncia. El señor Orlando Lima Brandão, de 45 años de edad, detentando documento de identidad número 101.658 de la Policía del Estado de Río de Janeiro, con matrícula de Ingeniero Civil otorgada por el Municipio de esta ciudad, director de la obra en construcción de la calle Sambaiba 198, declara que durante las horas de la noche su personal ha sido molestado por visitas de Otávio Pedro Oliveira da Cunha, empleado como personal de fajina en el edificio de departamentos de la calle Venancio Flores 119, de este mismo barrio de Leblon.

Otávio Pedro se ha presentado en busca de un sujeto que dormía en la obra en construcción, según alega, y que habría estuprado a su hermana menor de edad. Se ha presentado dos veces el pasado fin de semana, primero en tren amistoso y después con copas encima, habiendo llegado a mostrar un arma de fuego, con el que amenazaba a quien se negase a decirle dónde se encontraba el sujeto que él buscaba. Testimonio tomado el día de hoy, 21 de diciembre de 1987, por el Cabo Lucio Freitas Coelho y el sub-Comisario Luiz Carlos Araújo, quienes más abajo firman junto con el testimoniante.

SECRETARÍA DE ESTADO / POLICÍA CIVIL
COMISARÍA DE LEBLON - Rua Humberto de Campos 315

DECLARACIÓN DE ACUSADO / FALTA AL ORDEN PÚBLICO

Hoy, a las 18 horas del día lunes 21 de diciembre, se asienta la siguiente declaración. Otávio Pedro Oliveira da Cunha, de 22 años de edad, sí lee y escribe, detentando documento de identidad número 6.087 de la Policía del Estado de Minas Gerais, empleado como personal de fajina en el edificio de departamentos de la calle Venancio Flores 119, admite haberse presentado en la obra en construcción de la calle Sambaiba 198, en busca del sujeto que dice estupró a su hermana, la menor Maria José Oliveira da Cunha.

Otávio Pedro relató entonces los sucesos que siguen. Hace una semana, sin poder precisar cuál día, su hermana se le presentó en el trabajo y llorando le contó que había creído en las falsas promesas de casamiento de un joven y se había entregado a él. Su menstruación ya estaba atrasada de varios días y el examen del hospital había detectado embarazo. Pidió a continuación a su hermano que se presentara ante el sujeto, de nombre Ronaldo Rodrigues do Nascimento, guardia nocturno del edificio situado en la calle Igarapava 100, Alto Leblon. La menor instó a su hermano a que amenazara de muerte al culpable, hasta conseguir una promesa de casamiento. Así lo hizo Otávio Pedro, el día lunes 14 de diciembre, pero el guardia nocturno negó todo cargo.

Otávio Pedro entonces amenazó con presentarse a la noche siguiente a la misma hora y armado de un revólver, si el guardia no lo iba a ver a su puesto de trabajo en las horas del día, con la menor, y decidido a reparar su falta.

El día martes 15 Otávio Pedro esperó la visita del guardia nocturno pero éste no llegó, de modo que esa noche se presentó a la portería del edificio de la calle Igarapava. El guardia nocturno no estaba trabajando, y por eso se dirigió a la obra en construcción, seguro de encontrarlo allí.

Los colegas del guardia dejaron a Otávio Pedro entrar para que certificase su ausencia. Al día siguiente, miércoles 16, Otávio Pedro comprobó que también su hermana había desaparecido del empleo y sentó denuncia ante esta comisaría. Por no tener pruebas concretas contra el guardia nocturno, Otávio Pedro no hizo referencia a él en dicha denuncia.

No obstante la falta de pruebas, dos días más tarde, sin noticias de la menor y perturbado por el alcohol, se presentó en horas de la noche en la obra en construcción, mostrando un revólver y amenazando a los presentes en el lugar, los cuales no pudieron darle información sobre el ausente.

Después de ese episodio, Otávio Pedro asegura haber reflexionado sobre todo lo ocurrido, y haber comprendido mejor la situación, fundamentalmente en base a las afirmaciones de su prometida, quien declarará a continuación sobre el caso. Otávio Pedro asegura no abrigar planes de agresión en el futuro, y bajo juramento afirma no retirar más del edificio donde trabaja el arma de fuego, propiedad del consorcio, de que se valió para amedrentar a los trabajadores de la obra.

A continuación, DECLARACIÓN DE TESTIMONIO / ACTA COMPLEMENTARIA

Hoy, a las 18 y 30 horas del día lunes 21 de diciembre, se asienta la siguiente declaración. Antonia Maria da Silva Lopes, de 21 años, no lee ni escribe, detentando documento de identidad número 57.983 de la Policía del Estado de Pernambuco, empleada doméstica en el departamento 205 del edificio de la calle Igarapava 120, prometida en matrimonio a Otávio Pedro Oliveira da Cunha, quien la recomendó para ese empleo a la propietaria del departamento Nieves de Castro Athaide, hace ya dos años, cuando la señora Nieves contrajo matrimonio y dejó la casa de su madre, en el edificio donde trabaja Otávio Pedro.

Antonia Maria lloró convulsivamente al empezar a hablar porque se dice repugnada por la actitud de la menor Maria José, cuya conducta reprobable ha redundado en problemas con la justicia en la persona de Otávio Pedro. Antonia Maria conoció a Maria José hace diez meses cuando esta última llegó a Río para hacerse cargo del niño recién nacido de la señora Nieves. A poco tiempo de llegar, Maria José desarrolló un intenso sentimiento por el guardia nocturno del edificio vecino, con quien no lograba hablar porque éste sólo aparecía en horas tardías cuando la menor no podía salir sola de casa.

De todos modos en algún momento lograron cruzar pocas palabras y el guardián la convidó a visitarlo a altas horas de la noche en su portería. Antonia Maria se mantuvo desde el comienzo en estado de alerta, incluso quitó el llavero de la puerta de servicio cada noche, dejándolo sobre una repisa en su cuarto. Pero una madrugada a las 3 horas percibió que la menor se vestía para salir y trataba de echar mano al llavero. Se lo impidió, amenazándola con contárselo al hermano si el caso se repetía y durmió desde entonces con el llavero debajo de la almohada.

La menor a altas horas de la noche encendía la luz de la cocina, donde dormía en un colchón que se quitaba de mañana, y despertaba con el resplandor a Antonia Maria. La menor aducía nervios y falta de sueño, y leía revistas durante horas hasta lograr conciliar de nuevo el sueño. En una ocasión fue descubierta por la señora Nieves y se le prohibió encender la luz de la cocina durante la noche para no perturbar a Antonia Maria, que duerme en el cuarto adyacente, separada de la cocina por una simple arcada.

Antonia Maria a partir de entonces la sorprendía a veces de noche, a altas horas, sentada en su colchón en plena oscuridad, porque oía cuando la menor iba a la heladera en busca de agua, imposibilitada de dormir. Según Antonia Maria, la menor nunca lloró en su presencia, a no ser viendo la telenovela, pero sí parecía obsesionada por el pensamiento del guardián nocturno, a pocos pasos de allí. Antonia Maria sabía que el guardián era casado, incluso recordaba a la esposa, cuando había trabajado como empleada doméstica en el barrio, unos dos años atrás. Así lo contó a la menor, pero no logró en absoluto cambiar su actitud.

Lo que atormentaba a la menor y que ésta repetía incansablemente era la posibilidad de que otra mujer lograse atrapar al sujeto en algún plan. Sobre la naturaleza de tales planes Antonia Maria la interrogaba pero no conseguía arrancarle explicación. La menor aseguraba que se mataba si otra mujer lograba arrebatarle el amor del guardián, y vivía en evidente estado de angustia, incluso durante las horas de asistencia a telenovelas a duras penas lograba contener las lágrimas ante escenas de infelicidad amorosa.

Cuando el mes anterior la señora del departamento 104 pidió que Maria José durmiese en su casa, Antonia Maria comunicó su desconfianza a Otávio Pedro, pero éste recibió la novedad con evidente alborozo, dado que así la menor podría ganar algo más, y ayudar a sus padres y hermanos menores, que tanto lo necesitaban. Además de ese modo podría visitar él alguna vez por las noches a Antonia Maria, y ahorrar el gasto semanal de hotel, la tarde libre de Antonia Maria. Ambos tratan de ahorrar para casarse a la brevedad posible.

Poco tiempo después de dormir en el departamento 104, tres semanas aproximadamente, Maria José anunció a Antonia Maria que estaba grávida del guardián. Había logrado su ambición de entregar su virginidad a ese sujeto y ahora debía intervenir su hermano para que el guardián formalizase la relación, aunque fuera de palabra, como por ejemplo la solemne promesa de vivir para siempre con ella, promesa que el guardián debía proferir frente a Antonia Maria y Otávio Pedro, según lo cogitado por la menor, dentro de los extremos límites de su ignorancia e inexperiencia.

Antonia Maria desconfió de inmediato del embarazo de Maria José porque conocía la fecha de sus reglas y ciertos datos que le daba la menor no coincidían. Ese mismo día la menor habló con su hermano sobre el tema, el cual no quiso escuchar las advertencias de Antonia Maria, referentes a la verosimilitud del asunto. De todos modos, días después Antonia Maria supuso que el embarazo ya se podría haber producido, no así la prueba de la menstruación, para la que le faltaba todavía algún día.

Testimonio tomado el día de hoy, 21 de diciembre de 1987, por el Cabo Lucio Freitas Coelho, con la anuencia del Comisario Alnoldo Campos Galvão, quienes más abajo firman junto con los testimoniantes.

CAPÍTULO DOCE

Buenos Aires, 5 de enero de 1988

Querida amiga Silvia:

Aprovecho el viaje a Río de mi sobrino Ñato para mandarle mis noticias. ¡Cuánto de qué hablar! Ante todo le agradezco por sus palabras tan afectuosas, ahí en la vereda de su casa, antes de salir con el taxi para el aeropuerto. Me hizo mucho bien, y nunca voy a echar en saco roto esas palabras. Siempre que se pueda hacer un bien a alguien hay que hacerlo, ¿verdad?, y esa gente necesitaba tanto, pero el diablo metió la cola.

Hablando de miseria, es increíble cómo está Buenos Aires, mendigos por todas partes. ¡Y acá que hay invierno crudo! Allá por lo menos el clima ayuda. Por lo menos aquella pobrecita que se quedó en el Norte no va a pasar frío.

En fin, Silvia, eso ya pasó, y no fue nada comparado con la desgracia que me esperaba. Ni bien llegué mi hijo me contó que el Ñato había telefoneado esa mañana de Suiza diciendo que mi hermanita no mejoraba, y hasta daba señales de empeorar. Al día siguiente a mediodía el Ñato había quedado en llamar y puntualmente a las doce sonó el teléfono en el escritorio de mi hijo, yo estaba en casa.

Siempre se me había ocurrido que era un malestar pasajero, nunca le quise dar importancia, pero con esa otra llamada sí me empecé a alarmar, porque Luci había empeorado mucho. Y esa tarde misma, antes de salir mi hijo de su oficina, volvieron a llamar de Lucerna con la triste noticia.

Pobre Luci, es como si hubiese esperado que yo volviese a Buenos Aires, ya rodeada de mis seres queridos, para irse de este mundo. ¿Se imagina si me hubiese tocado recibir la noticia en Río, sola como estaba?

Yo le pedí a mi hijo que la llamase a usted por teléfono o que le mandase un telegrama. En esa confusión, con tantos llamados que recibí de otras personas, ya no me acuerdo lo que decidieron hacer, espero que le haya llegado mi mensaje. Triste mensaje, pero hay que darlo.

Ya el Ñato en persona le contará todos los pormenores de la enfermedad de la pobrecita Luci, de eso no preciso hablarle yo. De mi vida acá no hay mucho que decirle, todo está como antes, o mejor dicho no, nada está como antes. Porque con la desaparición de mi Emilsen a mí me cambió la vida, no sé si le expliqué que el departamento de ella está al lado del mío. Por eso siempre la veía, varias veces por día.

A Ignacio, el marido, lo veo poco porque trabaja lejos y sale muy temprano, y a los chicos sí pero a la disparada entrando y saliendo rumbo a la escuela, siempre muertos de hambre, se abalanzan sobre esa heladera que no sé cómo hacen para tenerla siempre aprovisionada. Los pobres están en manos de una muchacha de servicio, que viene a la mañana nada más, las finanzas no andan muy bien y apenas si les alcanza para eso. Yo creo que los voy a ayudar mensualmente, aunque a Ignacio no le guste. Le voy a prometer que no me voy a meter en nada.

Además hay una novedad, Ignacio se va a volver a casar. Ya hace tiempo que está viendo a esta señora, a mí no me lo habían querido decir. Pero lo bueno es que se trata de una muchacha ya grande, mayor que Emilsen, de la edad de él, 51 años, y que nunca se casó.

La verdad es que esa casa necesita de alguien que limpie un poco a fondo, si viera Emilsen la roña que le deja esa sirvienta se haría cruces. Y los chicos están en una edad difícil. Mi temor era que él cayese con una jovencita que no supiese ni fregar bien una olla. Ésta parece que va a ser una ama de casa competente.

Lo que me impresionó fue encontrar al más chico de los hijos de Emilsen ya con cara distinta, del principio del crecimiento. Una carita perfecta que era y ahora está todo hinchado de cara, la nariz es un ají morrón. Yo estoy convencida de que después se va a componer, de mis nietos era el más lindo, pero se puso peor que ninguno a esa edad, en esa fase quiero decir.

Antes de ayer me dio un pico de presión, un buen susto, y en lo primero que pensé fue en este nene, que se llama Gilberto. Si por algo me gustaría vivir un tiempo más es para ver cómo queda ya de hombrecito, con su propia cara. Porque como está ahora ya no es el nene precioso que yo recordaba, y tampoco es su facha definitiva. Me voy a cuidar mucho con las comidas y voy a tratar de no ponerme nerviosa de gusto, así tiro algún añito más.

Escríbame pronto y con noticias de su hijo. Le deseo que todo vaya bien, cariñosamente,

NIDIA

Postdata:

Me olvidaba de responderle a una cosa. Usted en la vereda cuando yo salía para el aeropuerto, me preguntó cómo había sido el marido de Luci, porque siempre hablando de Ferreira nunca le preguntó a ella. Ahí tuvimos que arrancar, por eso se lo digo ahora. Ella nunca lo nombraba porque había sido un hombre muy inteligente, mayor que ella, y hace unos 35 años, no, 30 creo, ella no tenía 60, o sí, no, tenía 50 y algo, bueno, él tuvo un accidente y perdió las facultades mentales. El pobre Alberto se volvió como una cosa, no una persona. Luci pasó años y años cuidando a alguien que ya no era su esposo. Ella estaba siempre encerrada con él, pero leía mucho y miraba la TV. Eso la salvó. Y después juntas nos hicimos unos viajecitos. Fue una vida así, con sus momentos buenos y sus momentos malos. Más o menos como todos, nadie se la lleva de arriba. Lástima que muchas veces tenía Luci la sensación de que los buenos momentos vividos no le habían tocado a ella, que los había vivido otra.

Eso es terrible, pero hay otra cosa peor todavía, y es olvidarse del todo de lo bueno, y acordarse nada más que de lo malo. Ahí habría que salir corriendo por el campo, como hace la pobre Wilma, pero si una está encerrada en un departamento y afuera llueve, hay que ponerse rápido a hacer algo útil, la que puede. La que todavía puede ser útil para algo. Una costura, un zurcido, lo que tenga a mano. Ésa es la salvación.

Río de Janeiro, 31 de enero de 1987

Recordada señora Nidia:
Perdone que me haya atrasado tanto en contestarle, es que antes quería hablar con la señora del 205, del edificio de Luci, por si tenía alguna noticia de aquel loco de Ronaldo, o de la pobre niñera.
Por fin la encontré por la calle y no tiene noticias de nada. La chica, la niñera quiero decir, mandó una nota a los padres diciendo que está bien, trabajando

en San Pablo, y que el muchacho se va a casar con ella, porque el bebé va a nacer. Pero como la pobre no sabe ni leer ni escribir eso no quiere decir mucho, vaya a saber cuál es la verdad.

Muchas gracias por acordarse de mi hijo. Él no escribe nunca, por ahí agarra el teléfono y después no sé cómo hará para pagar porque habla horas. Por suerte le va bien, según él. Yo ya estoy resignada, a él le gustó aquello y se quiere quedar, es su vida. Me cuenta que hay una crisis económica terrible. Aquí igual, y en la Argentina otro tanto, ¿adónde irá a parar todo esto?

Para Navidad me dio un ataque y casi vuelo a México, me salía un disparate el pasaje, porque solamente había asientos en clase ejecutiva. Casi voy, pero llamó Ferreira y me dio a entender que lo abandonaba en los días peores. Y reaccioné, voy a ir a México pero en mis vacaciones, cuando pueda aprovechar y quedarme casi un mes, no cinco míseros días.

Aparte de eso mi vida siempre la misma. Ferreira de vez en cuando aparece, me cuenta sus cosas. ¡Ah, pero recién me doy cuenta que usted se fue antes de Navidad! Entonces le tengo una gran novedad. ¡En los primeros días de este mes se mudó a su nuevo «hogar»!

A mí me llamó el día anterior, me pidió consejo. Fue más que nada un asunto de orden económico. Resulta que la hija le había pedido traer a la casa al novio, que es un estudiante del Estado de Paraná, con poquísimo dinero porque perdió el empleo. En fin, todo producto de la crisis, aquí están empezando a cerrar fábricas y escritorios, como en la Argentina ya hace algunos años. Y Ferreira prefirió que trajese al muchacho a la casa y no que anduviera por hoteluchos de noche, de día, a cualquier hora. Son los hogares de hoy, Nidia, diferentes de los de su época, ¿verdad?

Pero, claro, en la casa no había lugar para uno más. Y por eso Ferreira se mudó al departamento de la mujer esta, lejísimo, pero por lo menos tendrá un poco de silencio. Y cuando pase un tiempo prudencial se casará, no ahora porque era muy cerca de la muerte de la esposa.

Debo admitirle que la noticia me afectó bastante. Durante unos días vi todo color de la noche. Pero la semana pasada me telefoneó y se apareció, como antes, y dio la impresión de que nada hubiese pasado. La nueva «esposa» tiene cátedras en un colegio secundario pero de noche, no como la que murió, y llega a la casa siempre después de las once, que es la hora que terminan los cursos, son de siete a once. Hoy lo estoy esperando de nuevo, mientras le escribo esta carta. Si se atrasa un poco me va a dar tiempo para terminarla.

Y sabe usted, señora Nidia, la vida ocupadísima que llevo, me tengo que dar tiempo para tantas cosas. Todas las noches además le escribo a mi chico. Aunque sea una hojita. Es mi nueva disciplina y me está dando resultado. De ese modo pretendo mantener una comunicación con él. No importa que él no me conteste, lo mismo cuando me llama por teléfono se acuerda de todo lo que yo le comento por carta y así siento que no lo pierdo del todo. El contacto no se llega a perder, ¿comprende? Es un buen sistema, no sé cómo no se me había ocurrido antes. A él le gusta sobre todo que le cuente de los pacientes, de cómo van evolucionando los casos. Yo siempre le conté de eso y se interesaba mucho.

Después que Ferreira se vaya le voy a escribir algo, le quiero contar del viraje que hoy dio una paciente. Para mí esto ya se volvió como una droga, si

214

no le escribo esa paginita a mi hijo no me puedo dormir. Él me dice siempre lo mismo: «Mamá, no te lo tomes a mal si no te escribo, porque yo muchas veces por día converso en la imaginación con vos, y te comento todo lo que me chimentás en las cartas.»

Bueno, señora Nidia, le mando un gran abrazo, no deje de escribirme de tanto en tanto,

Silvia

—Hola...

—Con la señora Nidia, por favor.

—Soy yo, ¿quién habla?

—Es Silvia, ¿cómo está?

—¡Silvia! ¡Qué alegría! ¿Está acá en Buenos Aires?

—No, le hablo desde Río.

—Ay, qué honor... Dígame, ¿usted está bien?

—Sí, muy atareada, nada más. ¿Y su presión cómo anda?

—Más o menos. Pero ahora viene el buen tiempo, más templadito, y eso me ayuda. Pero, claro, que después viene el invierno y eso es lo peor para mí.

—¿Recibió mi carta?

—Sí, el correo está lento pero llegó. En estos días le iba a contestar.

—Nidia, yo tenía muchas ganas de hablar con usted de todas maneras, para saber cómo andaba, pero hoy le tengo algo que contar...

—¿De Ferreira?

—No, de él no hay ninguna novedad, siempre lo mismo...

—¿Qué es, entonces? ¿Algo malo?

—No, apareció por Leblon aquella chica Wilma, la mujer de Ronaldo.

—Ah...

—Ya está trabajando en una casa, la misma donde trabajaba antes, más de dos años atrás, creo. Pero ahí la quieren mucho y cuando llegó en seguida la tomaron.

—Ah, sí...

—Vino para ver si encuentra al marido, está bastante desesperada en ese sentido. Estuvo en casa para preguntarme cosas.

—Pobre chica...

—Preguntó mucho por usted, Nidia...

—Ah sí...

—Necesita mucho de un apoyo, yo la noto muy mal, desesperada de veras.

—Pobre...

—Nidia, ¿por qué usted no se viene cuando empieza el frío? El departamento de Luci sigue sin alquilar.

—¿Y por qué nadie lo toma? ¡Es muy lindo!

—Es que su sobrino dejó órdenes en la inmobiliaria que no son realistas, Nidia, pide mucho, él está pensando en cifras de Suiza.

—Pero ya no estoy para esos trotes, Silvia.

—Su familia no le va a decir nada, ahora que empieza el frío en Buenos Aires.

—No, Silvia, de veras, ya no tengo fuerzas para eso.

—A mí me preocupó mucho la chica, la Wilma.

—Dele un abrazo de mi parte, por favor.

—Ya sabe, Nidia, aquí la esperaríamos con mucho gusto.

—Gracias, de veras, pero no creo que se pueda hacer. Son muchos mis años.

—Por cualquier cosa llámeme, acá estoy, a México no voy hasta las vacaciones de julio.

—No, Silvia. Cometí un error una vez, y no lo voy a repetir. No puedo confiar en ese tipo de gente.

—Sí, yo comprendo, pero...

—No, no vuelvo más allá.

—Piénselo, y si no... un día me le aparezco yo por Buenos Aires.

—Sí... ¡qué lindo sería, venga pronto!

—No, Nidia, era un modo de decir... El tiempo no da, ya bastante con el viaje que tengo a México, a los pacientes hay que atenderlos.

—No sé, Silvia, le noto la voz tristona.

—Es la nostalgia, Nidia, todos se me van lejos.

—¿A Ferreira lo ve seguido?

—En general una vez por semana, el día que la mujer termina más tarde en el colegio.

—¿Qué día de la semana, si no es indiscreción?

—Los miércoles. Es un buen día, ¿verdad? Porque divide la semana en dos.

—Anoche entonces. Pero no le vino, ¿verdad?

—No.

—Ah...

—Usted siempre adivina todo. En fin, es una vez cada quince días, en realidad. Y si por ahí el miércoles cae feriado... peor todavía. La tiene a ella en casa.

—Es poco, una vez cada tanto.

—Me parece que sí. Bueno, encantada de saberla bien, le mando un abrazo.

—¿Y el tiempo está lindo?

—Sí, aunque la noche ya está cayendo a eso de las cinco, se están acortando los días.

—Silvia... perdone el atrevimiento, pero... ¿por qué no lo manda al diablo a ese Ferreira?

—Estuve a punto. Hubo una cosa que me llamó la atención. Resulta que cada vez que le nombraba el viaje a México se ponía de mal humor.

—Egoísmo de hombre.

—Pero eso a mí me gustó, me pareció que él rechazaba mi viaje porque me iba a extrañar.

—Y era eso, él a su modo a usted la quiere, a mí me pareció siempre. Él es buena persona, no se devane más la sesera. Pero es pan para hoy y hambre para mañana, así que si eso a usted le molesta... ¡mándelo a paseo de una vez!

—Algo de eso hubo, lo de mandarlo a paseo, ¿sabe, Nidia? Pero es una tontería, la voy a aburrir.

—No, tontería nada, ahora quiero saber, Silvia, ¡cuénteme, por favor!

—Es que como no quería separarse, que me fuese de vacaciones, me empecé a ilusionar de nuevo, de que él me puede querer... más de lo que parece, de lo que demuestra. Pero por otro lado como él dejaba de venir por cualquier pavada, esa contradicción me tenía mal. Entonces le tendí una trampa, pobre...

—La oigo.

—Le dije un día que tal vez yo no iba a poder ir a México después de todo, por falta de tiempo. Mentira mía, claro. Y que ese pasaje yo no lo había pagado, que era invitación del gobierno, y que muy fácilmente se lo podía pasar a nombre de él, que lo aprovechase, que se fuese... de paseo.

—Ay, no, Silvia, no me diga más...

—Sí que se lo digo. Yo ahí me esperaba que dijese: «¡Fantástico, no te vas nada, te quedás conmigo en Río!» Pero no fue así, dio un salto de alegría, y no porque yo me quedaba, ¡porque así iba a poder viajar él!

—Qué feo...

—A él le daba rabia que me fuese yo. Eran celos, pero no de mí, ¡del viaje!

—Ay, Silvia, yo creo que él no la merece entonces. Me lo imaginaba más bueno, más desprendido.

—Es bueno, Nidia. Pero tiene ese problema adentro, de frustración, de no haber vivido. Le da rabia que los otros sí puedan hacer algo.

—Usted lo comprende, será por eso que él se aprovecha.

—Yo un poco tengo eso, será deformación profesional tal vez, a la gente la justifico demasiado.

—Sí, pero él se aprovecha, y no le aporta nada.

—Bueno, eso no tanto. Él sí me comunica algo, y muy positivo. Será esas ganas de vivir que tiene, esas ganas atrasadas, retroactivas. Tan pocos tienen eso, la ilusión por las cosas. Él está seguro que saliendo de esa vida que hace, todo sería una maravilla, esos viajes con que sueña... A mí me contagia, me dan ganas de subir con él a ese barco, que zarpa quién sabe para dónde, no barco, esa lancha, no sé el nombre exacto en castellano. Él lo dice siempre en su jerga. En fin, que me estoy olvidando del castellano.

—Y yo del poco portugués que aprendí.

—No es lancha, es menos que lancha, es otra palabra...

—Será balsa.

—No, balsa es demasiado poco. ¡Pero no importa! Aunque sea a una balsa me subiría con él. Una balsa que no lleva a ninguna parte. O que sí lleva.

—No sé qué decirle, Silvia, no es fácil darle un consejo. Que se suba a ese... bote, o no.

—No crea, ya me está ayudando, hablar con usted. Es bueno hablar, se me aclaran las cosas. Pero no con cualquiera se puede hablar.

—Basta que no se arrepienta cuando le llegue la cuenta del teléfono.

—No, Nidia, ojalá todos los problemas fueran de dinero. No, lo de Ferreira es tan importante para mí, ahora hablando con usted me doy cuenta mejor de lo que pasa, es que cuando estoy con él... me contagio, y me viene la certeza de que la balsa sí lleva a alguna parte, a buen puerto. Pero cuando estoy sola empiezo a dudar, y es feo pensar que nada lleva a ningún lugar.

—...

—Se quedó callada, Nidia.

—Sí, querría tanto decirle algo bien dicho, que la ayude, pero no se me ocurre nada.

—...

—Ahora se quedó callada usted.

—Sí...

—¡Pero una cosa sí se me ocurre! ¡No le vaya a pagar el viaje a México a ese pelandrún!

—¡No, eso ni loca! Además que él allá me molestaría. Allá quiero la compañía de mi hijo.

—¿De veras allá le molestaría?

—Por supuesto. Un mes apenas me va a alcanzar para vigilarlo bien a mi hijito, pobre. Sabe cómo somos las madres. Y ver a todos los amigos de antes. Todavía quedó algún exiliado argentino regado por allá.

—Ah...

—¿Le parece mal?

—No sé si entendí bien. ¿A México no le gustaría viajar con Ferreira?

—¡No! ¿Para qué lo quiero allá? ¡Aquí es que me hace falta un poco de afecto!

—...

—Otra vez se quedó callada, Nidia.

—No, me quedé pensando, nada más.

—Sonó el timbre, ya llegó el paciente.

—Bueno, Silvia, escríbame siempre.

—¿Y su nieto, se le deshinchó la nariz?

—No sé, Silvia, hace días que no le veo.

—Bueno, Nidia, un beso, y que sea hasta pronto...

—Un gran abrazo, y gracias por acordarse de mí.

—¿Y si la veo a la Wilma, le digo algo de su parte?

—Sí, que siento mucho lo que pasó.

—Chau, hasta pronto... Y venga, Nidia, que será muy bien recibida.

—No, Silvia, viajar yo no, está completamente descartado.

—Qué pena. Un abrazo...

—Chau, Silvia.

Fecha: 24 de febrero de 1988

Vuelo: 401 Buenos Aires-Nueva York con escala en Río de Janeiro.

Comisario de a bordo: Raúl Costanzo.

La única irregularidad registrada durante el vuelo tuvo lugar antes del aterrizaje en Río de Janeiro, donde desembarcaba la pasajera de clase turista N. de Angelis, ya señalada para atención especial por su avanzada edad y alta presión arterial. Su cena sin sal le fue servida debidamente y la pasajera se mostró muy satisfecha con el trato recibido. Poco antes del aterrizaje en Río la azafata Ana María Ziehl me abordó con un dilema: había observado a la pasajera nombrada ocultando en su amplio bolso de mano una de nuestras mantas de a bordo. La azafata Ziehl no se había atrevido a señalar a la pasajera que la manta era propiedad de Aerolíneas Argentinas, dada la edad y condición de la pasajera, pero lo señaló a quien redacta esta nota. De común acuerdo se decidió pasar por alto el incidente. De todos modos se deja constancia del episodio para ilustración de la problemática de la desaparición constante de mantas. El aterrizaje en Río fue particularmente suave y los pasajeros aplaudieron la maniobra del capitán.

Impreso en el mes de enero de 1990
en Romanyà/Valls
Verdaguer, 1
Capellades
(Barcelona)